国家出版基金项目
NATIONAL PUBLICATION FOUNDATION

《三联经典文库》

第二辑

2012年国家出版基金项目

三联经典文库

108

倭营历险记

房沧浪　等著

生活·讀書·新知 三联书店

图书在版编目(CIP)数据

倭营历险记 / 房沧浪等著. -- 北京：生活·读书·新知三联书店，2014.1
（三联经典文库第二辑）
ISBN 978-7-108-04644-4

Ⅰ. ①倭… Ⅱ. ①房… Ⅲ. ①特写（文学）–作品集–中国–现代 Ⅳ. ①I253

中国版本图书馆CIP数据核字(2013)第246766号

108 倭营历险记

责任编辑 龚黔兰
封扉设计 蔡立国
责任印制 徐 方
出版发行 生活·讀書·新知 三联书店
(北京市东城区美术馆东街22号)
邮 编 100010
经 销 新华书店
印 刷 北京市松源印刷有限公司
版 次 2014年1月北京第1版 2014年1月北京第1次印刷
开 本 787毫米×1092毫米 1/32 印张 6.25
字 数 84千字
定 价 23.00元

《三联经典文库》出版缘起

适逢生活·读书·新知三联书店八十华诞，为弘扬传统，接续文脉，回报读者，服务社会，我们决定策划出版《三联经典文库》。

1932 年 7 月，生活书店在上海创办，此后，读书出版社和新知书店相继成立。本文库第一辑、第二辑所选图书，来自于这三家出版单位及其分支机构，以及 1948 年生活·读书·新知三联书店成立后的出版物，始于 1932 年，截至 1951 年，两辑各一百种。此为第二辑，涉及政治、经济、社会、军事、思想文化诸领域，涵盖专著、文集、散文、小说、诗歌、传记、报道等体裁，既有直面现实、追求真理、讴歌真善美、抨击假恶丑的原创作品，又有引介世界各国先进文化、传播新知、开启民智的迻译之作，真实记录了那一代知识分子的思考与探索、理想与愿景和对中华民族文化传承与创新所做出的努力与贡献。

本文库所辑入各书，多为名家名作，在版本方面，以初版一印本或经著译编者审定、修订、增订过的版本为首选，因此本文库又具有较为珍贵的版本价值和收藏价值。

本文库还将编选续辑，使之成为恢弘文化工程。诚挚希望读者给予批评和指正，帮助我们完善编选工作，再现三联经典作品之风采。殊为遗憾的是，由于年代久远，一些原著译编者及其后人未能取得联系并奉付稿酬，诚盼版权所有者与我们联系。祈愿三联前辈所创造的精神财富能薪火相传，为中华文化的伟大复兴增光添彩。

《三联经典文库》编辑委员会

2013 年 8 月

凡　　例

一、本文库为重排本，由繁体字竖排版改为简体字横排版。

一、以忠实于原作、整旧如旧为编辑原则，对当时使用的专有名词、外文译名，以及民国时期的语言和特色予以保留。

一、原书注释如旧，编者所出的注释，均以“编者注”标明，以示与原书注释的区别。

一、对原书残缺或字迹漫漶之处，以□示代。

一、对繁简文本转换时的“如右”、“见左”一类，对应改为“如上（前）”、“见下（后）”。

一、对原书中各种错讹脱衍之处，直接订正，不再以其他符号标示。

一、对数字、标点符号的用法，在不损害原文语义的情况下，做必要的规范。

一、本文库各书均前插原书书影、原书版权页和文库版“本书出版说明”。

一、本书出版说明的撰写，以客观中立为原则，扼要介绍本书的内容、版本流转、著译编者的情况。

本书出版说明

本书是作者于抗日战争中，身为一名战地记者，对自己被俘及劫后逃生故事的真实记录，有时村被俘、俘虏抑留所、桑木的鬼话、一个密探、海光寺之夜、惊人的发现、进了“优待室”、读《庸报》掩鼻、哭“山本”破涕、敬求墨宝、松冈洋右的没趣、招招落空的日本鬼、神誓、最毒鬼子心、顶天立地不事仇、不辞而别非礼也、割须弃帽、死线突破、慷慨拾荒人、今豫让、长啸出津门、夜泊塘沽、烟台亲善风景线、凄风苦雨过青岛、重见上海、一路福星到贵阳、“良善”的代价、勤劳奉仕、看俘虏的艺术、空虚与矛盾、所谓知日派、卿本佳人、动荡的日本、谭道源之谜、倭营拾零、鬼子的诡计、三大愿望、对鬼谈鬼等精彩篇章。

之所以写出这篇《倭营历险记》，完全是为了不能忘记那些已经被俘，终于为敌人机关枪点名的同志们的死事之惨；倡议笔杆与枪杆，铢两悉称：提出血淋淋的事实，揭发敌人一切灭绝人性的残忍行为，以昭告全世界。

本书由生活书店1939年3月初版，此次出版即以此为底本。

房沧浪，情况不详。

生活·读书·新知三联书店

2013年8月

生活书店 1939 年 3 月初版书影

倭營歷險記

著者 房滄浪

發行人 徐伯昕

發行所 生活書店

重慶 桂林 上海 香港 梅縣
昆明 成都 衡陽 西安 南平
貴陽 蘭州 曲江 星洲 常德
梧州 南寧 赤坎 立煌 玉林

印刷所 生活印刷所

中華民國二十八年三月初版

原书版权页

目次

在板垣俘虏营里（别记）

在大徐州沦陷的那天（五月二十日），记者为了珍贵最后消息，做了魔爪下的俘虏，在敌人的俘虏拘留所内，过了三个月的惨极恶绝非人生活。后来又像充军似的，将我押送天津，罚做苦工。初到天津，从朝鲜人口中，还听说有把我送到那冰天雪地的东北极边计议，当时情景只有“踏到津门行步迟，此生无复却回时”这两句，可以代表我的伤痛心情，万想不到我能从那虎口里逃到贵阳，当我脱险南归，经过香港时，有好几位热情的同业为我庆幸，《大公报》的金先生还给予我极大帮助，我只觉得更加惭愧，我只觉到在这个时候，生还究不若死难痛快，我之所以写出这篇《倭营历险记》，完全为了不能忘记那些已经被俘，终于为敌人机关枪点名的同志们的死事之惨，尤其是在敌人宣传优待俘虏的现在，我们应该提出血淋淋的事实，揭发他一切灭绝人性的残忍行为，昭告全世界。

1　时村被俘

记得五月十六日的一个早晨，当那一大群专杀我们良民的刽子手出现在徐州天空的时候，已经走出徐州的我，又兴匆匆地走回了徐州，这天在段家花园，看到李德邻先生和白健生先生，还有一位云南的安师长。当天前方传来的消息，错综复杂，使人早感到局势严重而不能静处，然而我所见到的李、白两先生，还保持着稀有的镇静，因此，我想在徐州等候同事的海萍兄，共同以最后呼吸，来换取最后消息的一个念头，重复活跃起来。可是等到十七日的中午，海萍还没有能从前方下来，我和《新蜀报》石宝瑚君站在段家花园门前，眼看着一辆一辆的汽车开出，同时炮声愈来愈近，直到炮弹要飞到头顶，我们两人才大踏步朝南走出，跑到三十里外。石君要我一同跟随汤军团长准备突围，这时我边走边想，想起过去所听到见到许多退却故事，想到假使这时在运河一线的我军不能从容退出，我们就得立刻握牢人、枪、车、马、米和面，准备展开游击战，绝对要避免退却时的狼狈。同时我知道李、白两先生他们还在准备作最后一战，我遂打定一个找伙伴打游击的主意，和石君握别。哪知我们这一别几乎成了永别，当晚我在《徐报》陈凌亚先生的村子里住了一宿；第二天，我就孑身走遍了二十几个村寨，一面唤起他们作游击战的准备，一面贡献他们一点防空常识。徐、海两属的农民，他们是村村有枪，而且有几处每家都有武器，人也非常老实、结实，我掏出一颗血淋淋的心给他们，同时就换得他们火一般的热情。当我十九日由纵家楼往柏山去，一位一面之交的纵先生，他握着一杆枪，直送了我十里多路。十九日下午，我走到柏山，在由韩村到柏山的二十几里途中，敌机不断低飞侦察，残暴的屠杀是鬼子的特长，他们在占据了云龙山的几小时后，立刻显露出了野兽样的狂态，炸弹从天空向那些大大小小的村子散播。当天下午四时，在柏山会合了 ××× 军樊部的李处长一行。坐上他们仅够使用三小时的汽车，走进了大劫临头的时村，这是安徽宿县的辖地，因为我在一位联保主任处，知道宿县的徐县长确已退到那里，正在集合红枪会，我们大可以集少成多，打成一片，拧起枪来干。哪知到了二十日早晨，情势大变，似乎只有穿上老百姓的便装才能逃命，到了下午，人是越逃越少，数数在时村寨外两个村子内愿意拿枪来拼的，只剩一百多人。这里为了防匪，寨门终日关紧，傍晚时候区长也偷偷溜走了，所以在这天入晚，守寨门的警察商团，听到寨子外面枪声响起，走遍了大小便所，找不见他们的长官，急得没法，跑来找我，演成这么一套：

“报告记者，有千多队伍；要进圩子，在乱打枪。”一个团丁这样来说。

“是我们的队伍么？”我很仔细的查问。

“是的，说是一个王师长带来的。”团丁又这样说明。

“请你老替我们招呼一下吧，最好不要把那很多马啦、汽车啦，开进寨子，明天给敌机发现了，这个小小的时村，就要炸光了。”一位商会负责人姓马的从旁央求我。

在这样的情势下，我义不容辞，走上了北圩土城，当我往圩墙上爬的时候。我就这样喊出:“同志，同志，你们是哪一师的，不要打枪，这里二十里外就有敌人，我们防备敌人夜袭要紧，不要都开进寨子呀。”我正喊完，寨门已给他们冲开，我先只遥听到一些窸窣窸窣的声响；及至走近，听到那沉重的皮靴触地声音，我已晓得不妙；接着电筒一亮，砰砰就是两枪。幸亏我呆住不动，我眼看着四个倭寇平擎着枪，包拢过来，将我揪住，一个倭寇伸出指头，在我额角上一戳，连喊“中国兵，中国兵，杀了，杀了！”一个就摘下我口袋边的证章，连拖带拉，将我推到一个骑着马的倭军官旁，那家伙看出了证章上《武汉日报》的四个字，喊了两声“大大的新闻记者，大大的新闻记者”，就指挥那四个倭寇押住我跟着他们走，我冷冷的抽了一口气，跟着他们跑。那四个鬼东西八只鬼手，轮流的来摸我的衣袋，在黑暗中摸去我裤袋中一叠草纸，以为是一卷钞票，马上就有一只鬼手悄悄地递给我一根纸烟，那真正摸去我的钞票的一个，倒反装腔作势，狠狠地踢了我两脚，这就是号称纪律严明的板垣师团林田部队先遣队，它进村后并不站脚，穿过大街就出圩向南行进。他们的企图，是想遮断我苏皖边区的联络，截击我由运河一线撤退的部队，可是鬼子的色厉内荏走着怕着的神态，在这夜晚却触起了我无限的感慨，忘记了我已经做了俘虏。

2　双沟见板垣

大概走了三个小时，鬼子就占据一个五六十户人家村子住下宿营，村子里农民有逃走不及的，都做了倭寇刺刀下的牺牲品。这是一个小中队，步骑混合，带有两架小炮，队长将近有五十岁，炊事兵在煮鸡时告诉我，他的大人名叫片山胜次，在东京做人造丝生意，他的儿子小胜次，去年在山西战死，丢下的媳妇，才十九岁，说到这里，他指着自己鼻头，长长地叹了一口气，又低低说道，“我的媳妇一个，小孩五个，房子大大的，现在……”我正逗着他说，一只猎狗似的通译，从片山屋内走出，他不说了。这晚我看着他们杀鸡吃鸡，打人杀人；他们吃饱杀累以后，将我反背双手绑紧，一根像铁链的绳子绞紧我的双手，痛得我眼睛内火星直冒，我伏倒在一间马房里的地下，跳蚤肆无忌惮的咬了我一夜。次日，片山亲自来查问我的履历和到徐州的任务，我很快的这样写给他：“房沧浪，三十八岁，《武汉日报》经济研究部，战地农村生产调查员，信佛。”这是我想了一夜，认为应付倭酋审问我最妥的答复，这个片山并没有和我噜苏，他只将我更加绑紧，送回时村，因为倭寇大队已进驻时村。听说是一个林田大队，五月二十一日中午，七个鬼子架着我，回到时村，想不到隔了一夜，一千多户的一个相当富庶的村寨，竟然被鬼子抢掠净光，死驴、死猪、死人，东倒西歪，脚底下血迹斑斑，已经够惨，那些横肉满脸的野兽，有的穿上北方妇女的粉红内衣，有的穿上他莫名所以的寿衣寿鞋，歪戴红缨帽，大摇大摆，我活了三十多年，而且是个新闻记者，却从来没有见过这样的怪状，所以当林田问我“你看见的日本兵，好不好？”我很愿意的这样回他“顶好顶好”、“辛苦辛苦”。他听我这话，好像有点忸怩，晚上一个河北籍的通译，偷偷向我说“这是板垣师团的一部，吃得比别的日本队伍好，奸淫掳掠的本事却比别队还要凶，林田简直管不了他们”，他说了几句，又悄悄地问我“你是一个参谋长吗？”他问得很奇怪。我看他两只眼睛，不像说这话的人，我不理他。我在时村临时俘虏拘留所内，冷冷的观察他们，我看出倭寇内部有着显著的矛盾。林田常常和我谈话，我只谈佛，他虽不怎样逼我，但因为我不承认是战地记者，甚至汤恩伯、孙连仲两部究竟有多少人，都说不明白，他认为我不是“良友”，直到送我见板垣去，还这样说。

六月一日的下午，我坐上一辆满载着弹药的汽车，走回了失陷后的徐州。从东车站到了大同街，这是徐州最繁盛的街市，从早到晚，熙熙攘攘，这天我只看见两个中国人，一个已经饿得走不动，一个是白发婆娑的老者，看见汽车驶过，执著一面贴上红膏药的旗帜在街旁晃着，大同街两旁的房子，十分之九没有了屋顶，倭寇陆上荒鹜漫无目标的大轰炸，徐州是整个的烧灭了。所以当六月初旬，有大批倭商想走来徐州做好买卖，也只好看着那一堆一堆的瓦砾呆呆出神，而终于原车开回了济南。当天我在铜山县监狱门首，看见二十多个倭、鲜军妓，拖着木屐，从山前走过，有几个年高德重的，也要涂脂抹粉跑，来供“皇军”淫乐，在如此的恐怖氛围里，从断垣残壁中，看见这种穿着红红绿绿的女人走出，这是聊斋上画图。这晚，押送我来徐之倭军曹，强力推我住入监屋，咬惯监犯之臭虫，晚间从四面八方爬来，无法入睡，痛苦不堪。次晨（六月二日）原车开赴双沟，因为板垣指名要我，因加派一骑兵队长随同押送，视同重囚。双沟至徐一百华里，为苏北一大市镇，现在也成了炮灰，板垣住在一家杂货店内，据说也埋有十余死尸，臭气极大。我到那里一会，那个骑兵队长就带我至一个古川参谋屋内，闻名已久的一个侵华急先锋的板垣征四郎，我看见他的真容：中等身材，面庞很瘦，比较我在《中央公论》上见过他的照片瘦多了。从他的苍老的脸色看来，也不像五十四岁的人，屋内摆着一张方桌，他和我脸对脸坐下，古川参谋和一个奥参谋，分坐两旁，一个同盟社家伙，小厮模样，倚着墙壁看我，板垣先看了林田的报告，然后问我“你到过些什么地方？”我说“我才到徐州，日子是五月三日，到过南宿州。”过后，他又问我关于军事方面许多事情，我说，我不知道，因为我和军事无关，才走到你们面前被俘，不然，我该老早突围出去，如果不信，请即枪毙，他听到这句，笑着说道：“你真不怕死吗？我判你的死刑，你的毒舌，台儿庄，台儿庄。”说到这里，大约触动他的旧恨，脸都气红，两个鬼参谋，也指手画脚，像在骂我，我只装聋作痴，一味瞎缠，他们见我胆子很大，不怕恫吓，又问不出我什么消息，在吃饭、拍照过后，又来问我，而且反过来向我大大宣传，我也点头播脑，表示懂得，这样你虞我诈，弄了三天，我利用机会，暗暗向敌兵中表示厌战的几个，开始宣传，我举出我们优待俘虏的事实，打动他们的心弦，我和他们谈到母亲、媳妇、儿子这些话的时候，我刻画出一个快乐家庭的影子，想燃起他们思乡的火焰，有时也逗得出这一班蠢如鹿豕的家伙的眼泪来。连续三晚的叽里咕噜，引起了古川鬼子的注意，我又在六月五日倾盆大雨下，重上囚车，送回了徐州。此地我要补说一句，就是在这三天，每晚我均隐闻有女子的哭声，谁家儿女，不是我们神明华胄吗？国人！我们要为匹妇报仇。

3　俘虏抑留所

囚车开到徐州中学门前停下，我以为我又可看见那倭寇所设北支派遣军司令寺内大将了，果然不错，但他却一句也不问我，把我夹进了几十个农、工、商、学、兵都有的所谓俘虏内，送进了九里山下的兵营。用大卡车装上，用大绳像扎蟹似连贯绑起，车子开过北站，有几个胆小的难民，当做是绑去枪毙，抽抽咽咽，哭将起来。押车的倭寇听到哭声，拿棒就打，有的头被打破，血从额角流下，还要忍泪吞声，那种惨苦样子，正如唐人《哀俘虏》诗中所云“渐近死城谁敢哭，一时收泪羡猿啼”。鬼子把我们关进所谓俘虏抑留所，铁丝网结得非常周密，订下二十几条管理规则，待遇的残酷，更不必说，依照它的规则，第一条，是逃亡射杀。然而我却亲眼看着把很多乖乖地坐在里面的，常常三个五个绑起运走，到晚不见回来，后来听说，那是拖到山脚下去拿刺刀戳死。又还施行连坐法，如一个逃走，那同闭一屋的人，都要处死。记得在七月十八夜内，在住有十四个病人的屋内，逃走了一个，第二天早晨，鬼子发觉，即刻将那十三个奄奄一息的病人一齐杀死。大战以后，徐州今年夏天所发现的疫症蔓延得异常猛烈，鬼子本身医药也感觉到缺乏，于是他就看着这个俘虏抑留所内的中国人，死亡相继，给你个不理，甚至活的也往往外抬。

一个六月当中，在七百二十五个苦难同志同胞内，死去一百七十余人。这里面收拾死人的办法，起初是由鬼子拿麻袋装进拖走，麻袋用完，拿旧报纸来收尸，我从此偷偷地看到日本报纸，知道在黄河决口以后，徐州附近战事的变动，我看到日本报纸拼命地在咒诅游击队，这正告诉我，徐州四郊，我们游击队获得了相当的战果。我明白了倭寇所以食无鸡，我们何以连葱汤也没有喝了。怪不得鬼子不敢下乡去。两张报纸到了我的手里，五百多个枯瘦蜡黄的脸上，透出了一丝笑容，（我写到这里，想起那五百多个黯淡的影子，想起了那笑出泪水和鼻涕的热情难友，我的眼泪再也忍不住）。张鼓峰事件发生后，倭寇看不到他的本国报纸，每个人都像有绝大心事，最可怪的是噤口不谈张鼓峰倭苏两军开战的事，一天，突然有一个倭寇大尉医官和我谈话，他满不在乎的，告诉了我些苏军反攻张鼓峰的消息，可是他说出以后，又很像懊悔，再三叮嘱我，必须要“情报口止”以免危险。我从此又明白了那菊地大佐所以匆匆率兵而去，倭寇的水上辎重队所以开来守徐州，而且还听说那时开封只有五百个倭寇在防守。不久张鼓峰事件解决。大概在八月二十日左右，我才发现倭兵看报，倭寇显然是屈服了，但倭兵还要信口乱吠。八月二十日以后，这个俘虏抑留所门前陡然的堆起了高的沙袋，守卫的倭寇，又起了极大的恐慌，他们都故意表示镇静，坐在沙袋上面大吹口琴，然而一个石友三部七千游击健儿迫近徐州的消息，早承一位妙不可言的“良友”口中，悄悄说出，我们也就此选定一个与鬼偕亡的途径，正待准备，不意鬼子早已虑到，突然在八月二十七日深夜，在四架重机关枪压迫下，结束了俘虏抑留所，押着我们走进八节铁篷车，向北开去。我们面面相觑，一声不响，向铁篷车内爬进，那鬼灵精似的饭田狗头，还跑来讲了几句鬼话“你们旅行旅行呀，路上保重呀。”车子开动，他得意地在笑，车内的答复，是“妈你 ×”、“我 × 你东洋乌龟妈妈的 ×！”我就在那“亲善”的风景线下，埋下头来，细嚼这“旅行”滋味。

4 津浦道上

我早料到有这么一天，我自信我在精神上，已经战胜了倭寇，不过，我虽然费尽心机突破了死线，我却时时十二万分警戒着，准备在那人兽关头走近的时候，突破那最难的一道死线，跃回汉口去写出个《倭营历险记》。如今，像要走近了，车子在蠕蠕动，车头像在放声的号哭，我的额头和膝头紧紧靠拢，我像睡着了，一夜无梦。次日，车至禹城，倭兵下车取饭，我看着他们臂上写的“护卫队”三个大字，我很佩服他们聪明。车停约一小时，这批“护卫”，吃饱登车，可是车中的一班旅行客人，头已饿得发昏，大家乱嚷、混骂，鬼子们有的听得明白，有的只是瞪眼。押车的倭队长伊藤走来问我，他惊奇地问道：“他的什么说话？”我指指肚皮向他说：“旅行的肚子大大的坏了。”费了很多口舌，鬼子才分给了一些吃剩的冷饭和大饼，可是吃了以后，大便小便也就身不由己要向外排泄的，但因为鬼子们在津浦路上常常跌跟斗，甚至连车带人都要倒下去，鬼子们怕极了，只准在大站开启车门，那车中尿和屎的逐渐增加，却使你大大受不了。由禹城开出不久，在第四节车中死去一个，是久泻不止，活生生泻死的，死尸一直带到沧州；可怜，这一个不幸的同胞，就在一张草席里了结他的一生。我只问得他是徐州一家商店里的司厨，鬼子就把他列入胜利品，这真不知从何说起。我在昏昏沉沉中，过了德州，由徐州到德州，这一根现在成为敌人的动脉血管的铁路，它常要被那活跃在山东的游击健儿插进几刀，像一条死蛇横躺着。沿途看到倭寇设有许多铁路保护村的牌子，挂在那贴近铁道旁电杆上，此外大约在每五公里之间，就蹲伏三五个倭兵，在那似猪栏的小屋内。这都是鬼子因为吃足了游击队的冷枪，在准备应付的。而它所收获的效果，是更加使它发抖，加速的使它灭亡。“铁路保护村”的守卫者，是我们被迫无告的同胞，但枪口儿是始终对准了死蛇，这未免出乎“皇军”的意料。最可笑的是那些铁路警备者了，那三个五个送礼的，他们在睡梦中一觉醒来，“无言凯旋”，枪是悄悄地转换到另一个人肩上。车子停在沧州，我们是在另一个“良友”口中，听到这些新闻，而由“良友”说出，听来更加入神，沧州、泊头之间，游击队的新闻听到不少。

车抵沧州，停至两小时以上，还不北开，站上倭籍路员与押车的倭队长，耳语久之，车头又忽然向后掉转，我们以为北面一定出了玩意，或许要送我们重回徐州，哪知它系开回济南。原来列车经过济南，因为鬼子厉行防疫，只停了十几分钟，在站上也不许开启车门。车子掉头开回济南站，来了五六个白衣倭医，像猫哭老鼠似的，说了几句好话，扫出了车中尿粪，这大概是因为听说在沧州有死人抬下，怕这一伙传染病患者，把瘟病带给他们。至于从沧州打倒车开回济南的真正原因，我们看出那后面附挂的十节兵车，卸回济南时的紧张情形，也就猜着了一半。

5 济南一瞥

济南车站上，却呈现着一种特异的热闹，今天又来了这一大群的“旅行”客人，加上专为跑来看俘虏的鬼子们，眼前尽是鬼，驻站的鬼子宪兵，忙出一身臭汗。站上路员，着的是草绿色的服装，我只看清几个路工是中国人，站上伪警都没有武器，有两个伪警见我向他们微笑注视，现出一些局促不安的神态，大概良心还没有完全变色，那专为跑来看俘虏的鬼子，所表现的情态，也形形色色，各有不同，有的冷笑，有的指手画脚在大发议论，有几位年岁较大的，从他们那蹙眉垂目的外貌上看，像并不感到怎样的愉快。我得特别提出的，有二三十个小鬼子，也跑来盯住我们看，那班小东西，由于先天的毒液和侵略教育的养成，认为这是应该加以侮辱的“支那人”，他们也举起小鬼手，在指着骂：“支那人马鹿！”、“马鹿！”、“马鹿！”连珠价骂，有的还跳起来骂，几个三四岁小鬼头，还举起小拳头向着我挥舞，那班老鬼看了都哈哈笑个不住。这时我正立在月台上，看那贴满墙壁的“仁丹”、“若素”、“中将汤”这一类倭商的广告，张千、李万式的两名倭兵的一步一趋，跟着我，伊藤拿了一个“便当”给我吃，我哪里还有心肝吃他们的“便当”。我拿给一个有病的四川同胞，那人感动得要哭，那班小东西，看到眼里，觉得奇怪，或许以为我是不应骂的，有两个走来和我“亲善”了，我的肚子里直像开了酱园，辣的、酸的，几种味儿在不断地要往外冲，我还是笑笑，我指指自己的鼻子，说了一声：“我是中国人”，那两个小鬼东西愣了一愣，走开了。咳，我到老死也不能忘记这一幕。

6　他们的“国防妇人”

确实的是这样情景，由于鬼子的烧、杀、淫、掠，太行山以东的山东人都吼起来了，他们展开了一个旷古所无的复仇运动，整个的向鬼子反攻，从日本报上也看得出，打今年七月七日到“八·一三”，济南是成了一个倭侨的逃命的适中点，禹城、平原、沧州各县的倭商，时常慌慌张张逃来济南，所以济南的鬼子就特别的多，而倭侨们组织的所谓“国防妇人”就会跟着活动，出现到车站上。我看见有二十几个穿着一律白色制服的女人，在一个茶棚、一个水棚内，很有条理的工作，这是倭寇调动最忙的一个八月，兵车靠站，倭兵下车，先到水棚漱口洗脸，然后很整肃的，走到茶棚前，那当炉的倭妇人、倭女儿，随时很恭谨地捧着一杯茶，高高献上。倭寇军官要水、要茶，她们是格外客气，她们轮流工作，早班在天未明时，就要到站烧茶，她们愿意这样受苦吗？我敢说，她们并不愿意，原来在我国各大商埠的倭侨商，本来做得很好的买卖，过的比较倭国要好多的舒服生活，也是同样给倭军阀搅糟了的，可是她们虽然也不满意那些吃人的军阀，然而她们却极爱她们的国家，终于在勉强的心境下勉力了。据我所知的倭国国内的妇女们，都是在这样的心境下，勉力的在那里“动”，她们很巧妙的去鼓励那些“未亡人”，特别注意的是“抚孤”，我所听到关于倭国国内妇女运动，大致是如此，这是值得我们效法要立刻起来赶过倭国妇女运动前面去的又一件事，所以也不惮词费写出来。

7　免费旅行到天津

济南车站写成了一个“济南驿”，那《老残游记》内的，家家泉水，户户垂杨，一幅浓妆淡抹总相宜的清丽画图，我们每个中国人都不会忘记它。再会吧，我在那飞沙走石的狂风里，向它暂别。再回到上天津的征途，八月二十九日的黎明，那载着四百九十二个特别旅客的火车，开到了天津东站，车内起了一阵怪声，鬼子们唱起来了，站上的幢幢鬼影，在幽暗的灯光下，看出了是来接“客”的，车子停稳，我们“旅行”终止，再戴上那俘虏的头衔，一行排齐，一、二、三、四……数下去，数到二百九十二，突然的停止了。记清楚，少了二百个难友。大家都很关心的回头看，一个鬼子跑来说：“他的北京”，“你的天津”，“开路开路！”它拆散我们的伙伴，我们二百九十二个，就进了马厩。

鬼子共计开来十九辆大汽车，我们二百九十二人，分坐十一辆，那八辆载满了鬼兵，在前后“护卫”着。这是一个阴风惨惨的八月二十九日破晓，汽车由东车站开出，在我上车以前，那个由徐州倭警备司令派来“护卫”我们的伊藤队长，和我握手，表示惜别，递给我一纸名片，写上“祝君健在”四个汉字，我看了顿觉毛发悚然。一个天津驻屯军派来接收我们的田尻倭中尉，鬼头鬼脑，笑眯眯的，朝我上下打量，他带了两个倭寇，坐上我乘的一辆大卡车，车子鱼贯出站，伊藤笔挺地立着，向我敬礼，这是从来没有的“客气”，这种“客气”比毒气还要厉害，所好我有一个“新闻记者”的鼻子，老早嗅觉，然而我却很爱看这个样子，可惜我的开末拉没有带去，我也向他扬手，直到我看不到他的影子。

8 桑木的鬼话

汽车开到倭租界一家鬼子香烟厂前，一个鬼子打趣说“你的洋房睡觉，睡觉”。房子的确很好，我们下车点名以后，走进里面，住到这个好房子的最后的一进，那矮矮的一排洋铁皮盖的马厩，周围结好了高高的蜘蛛网，我们又睡到铁丝网里了。大家看了这个马粪遍地的所在，恨声叹气，骂不绝口，那个田尻倭中尉，东张西望，笑眯眯的说:“你们小小的辛苦辛苦，我在山西打仗，房子没有，睡觉没有，大大的辛苦辛苦，没有法子，没有法子。”我看他那样子很好笑，说的话又这样的有趣，我禁不住纵声狂笑，他看我狂笑，怔了几怔，拉住我的手说:“你有神经病。”我点点头回他:“小小有的。”他侧着头看我几眼，不声不响，他很注意我，以为我真的有病，当天饭粥皆无，每人发给馒头四枚，作为一天食粮，比监狱中的囚粮还少，此时大家都不把吃的一回事放在心上，入晚睡觉，增加倭兵看守，防范较徐州更严，难友中有一天津人，他认识这方向是在海光寺后，仅隔一条大水塘，至塘边小便处解手，可看到海光寺倭司令部，对面也有一排小屋，有数十倭兵驻守，架了两挺机关枪，对住我们马厩。晚间我大便两次，才看清楚对面布置，我骤然想出一个泅水而溜的办法，旋即打消。次晨，田尻偕中佐倭参谋一人跑来，说是代表桑木大将来此"慰劳"，要站队说话，要我们说"感谢"词。他是跑来强迫干，他带来一纸什么"慰劳词"鬼声鬼气说："英国不好，俄国不好，法国不好，美国也不好，将来日本都要打倒他们，日本是很辛苦的，希望各位心好好的。"鬼子现在公然的如此宣传，徐州的饭田倭司令也是这样的说，我已听到多次，这天居然也有人代表我们致"谢"，一个朝鲜光棍，冒充东北人，当天早晨，由田尻假意将他绑着送进来的，说是在丰台附近被俘的。这套把戏，我们这二百九十二个，有一大半看穿了这东洋镜，想不到还有人上了当。

9　一个密探

这家伙初进来时，诈称姓李，穿了一套灰色西服，光头赤足，衬衫扯成几片，哼哼不绝，坐在地下，现出狼狈样子，倭寇常来打他狗头。哪知仅隔了三个钟点时候，他居然神气活现，跑出讲话，像背书似的说了一套“王道乐土”的混话，讲完以后，鬼参谋笑笑走去。他就开始混进我们这二百九十二人当中活动了，一会和你密谈，一会和他密谈，身边拿出几盒香烟，一一分送，借此联欢；有了香烟，没有火柴，怎么办呢？大家好不发急，他又假意遍身乱摸，结果火柴他也有的，岂但他有火柴，他还有铅笔，还有信纸，这都是俘虏身边不应该藏有的，而他都具备了，这给予我们的难友，是意想不到的安慰和便利。渐渐有人着了他的道儿，第一条性命送到他手里，就是我给他吃“便当”的四川人，他病才脱体。他要抽香烟，以为这家伙是个好朋友，他说出准备爬墙逃出，请他帮忙，这正造成朝鲜光棍的一功。我记得清楚明白，我们第二天（九月二日）到南开大学旁马路淘阴沟，这四川难友托病不去，那“福尔摩斯”也就陪他生病，哪知当我们下午回到马厩时，即从此看不见他，朝鲜光棍忽然恢复了他的健康；迎到我面前又送香烟给我了。晚上八点查人，一个倭寇拿刺刀挑上一件破汗衫，一大片的鲜红血迹涂在那破衫子的背面，再印到前面，说明他是从墙头逃出跌下，在伏倒的时候，给那候在墙外小屋内倭寇跑出刺死，田尻和一个倭通译，宣布他的“罪恶”说，这人心不好，大家不要学他。这是到天津第一个殉难的，他姓陈名吉，很有志气，写得很好的美术字。此夜我不能入睡，想逃，愿死，胡想乱想，恐怖异常，一夜未闭眼睛，第二天早晨，海光寺有电话来，说是桑木大将传审俘虏。

10 海光寺之夜

派来一个笹沼通译班长，指名提出我们十四个，我在第四名，说是有煽动俘虏逃亡罪嫌，大家听了，又不禁冷汗直淋，这都是朝鲜光棍的一支铅笔画出来的，所好到了海光寺后，派出盘诘我们的倭参谋江田，还有一点人性，他只将我们每人打了十棍，打到我的时候，笹沼鬼子走到江田面前，低低说了几句，江田教不打我，就此留我谈话，然而已经吃了四棍，田尻带了那十三个回去，江田、笹沼两个就带着我走进一间很整洁的客室，关门密谈，开始他就向我道歉说不应该打我，但是为了维持他们的“纪律”，没有法子，嗣而江田又朝我满身看看，说我衣服太少，而且鞋子还是破的，“你没有钱么？”我说：“钱都给日本兵拿去了”，他听了又故作诧异说：“有这样的事么？”先来上这么一套，接着就提出几个关于党务、军事的问题，教我诚实答复，披沥所言，我这样回答说："你们也有报馆，像东京《朝日》，大阪《每日》，各部都有专门人才负责，我们也是这样，我只知道一些农村经济情形，而且还不如你们知道详细，至于其他情形，我已和你们陆相谈过，你可通电去问。"这时板垣早已高升陆相，我拿大话压他，这法子很灵，他不再问了，走上楼去，一会又嘻嘻地走来说："有两件事，你必须说出：第一，中国几十万伤兵现在集结何地医疗。第二，中国军队中之督战队由何人指挥，是怎样组织的。"我向他笑笑说："你知道我在五月二十日被俘的，从前的中国伤兵，老早就自动走回前线，以后的事，我在你们手里，怎么知道。其次，关于督战队的一切，不但我们新闻记者不知，恐怕中国军队中早就用不着了。"他对我所说表示不信，他说根据饭塚国太郎的死事报告（八月在江西战死）：知道中国军队在安徽、江西"顽抗"不退，由于督战队的认真，他们的饭塚大佐想突破我们坚阵未遂，反而死于我们的肉弹。言下有点搔首无策的样子，我暗暗好笑。此夜，笹沼倭通译班长奉命，不许我回至马厩，暂留海光寺兵营，笹沼与我同宿一室，他苦苦劝了我一番，他说："陆相不杀你，多少恩义给了你？"说了很多，我假装睡着。夜间，笹沼被鬼子喊起两次，说是由丰台、廊坊捉来"胡子"数名，据笹沼告诉我，廊坊"胡子"已给日兵赶走。由此，我知道在河北的我们的游击队，是常常走进丰台、廊坊去杀鬼子的。

11 惊人的发现

次日早起，筱沼从参谋处走来说，少停，仍送我回到香烟厂内（马厩）。他带来一纸报告单给我看，上面完全说的中国战地记者在徐州的住所和工作情形，字迹非常秀丽，不像鬼子写的，我约略记得是这样写的：

> 范长江，《大公报》，住花园饭店。房沧浪，《武汉日报》，住太平饭店。陆诒，《新华日报》，住朝阳饭店。石宝瑚，《新蜀报》，住太平饭店。耿坚白，《新闻报》，住朝阳饭店。张剑心，《扫荡报》，住花园饭店。

后面的按语，都是“抗日色彩百分浓”或者是“毒舌”、“鬼畜”，我的名字下面，特别写出，“该报是汉口最大报纸”一行，我看了这一张报告单，很觉奇怪，即如耿坚白先生只匆匆到过徐州一次，不过两天，这个汉奸怎样调查得如此详细？后来我看见那单子上还写出些“支那阵地新闻报道战”这一类话，知道他们对于中国的战地一切，是不厌求详在调查，鬼子是绞空脑汁在算计我们。筐沼给我看过以后，他说还有更详细的，此时不能给我看，关于这一项工作，有个《庸报》帮助他们，此外还有一个狗养的吴菊痴。筐沼送我重回马厩，鬼子忽然送来些发了霉的香烟，上面写着“庆祝徐州陷落，感谢皇军奋斗”，这是那个狗 × 的王瞎子王克敏，向“皇军”慰劳的礼物，送到徐州的时候，已经坏了，鬼子们还把它装回藏着，鬼子们要利用它做宣传。可是马厩里的人，没有一个看了不冒火，结果，香烟都悄悄地丢下了毛厕，“皇军”和王瞎子也丢下了那蛆虫满满的大坑里，“王克敏”三字它该是永久遗臭的。

12　进了“优待室”

由此鬼子每天派人来“瞅”窥察我的一切，特地将我提出铁丝网外，在卫兵室旁空屋内，布置了一室，给我坐卧，将我与俘虏群隔离。田尻倭中尉老老实实警告我说：“给你支那大人好房子，你的‘危险思想’大大有。”鬼子们惯于做作，还跑来在我的门上写上个“优待室”；我真像一个传染病患者，送进了“隔离室”。此举，鬼子的用意有两，一则借此可以防止我向俘虏群煽动、教唆；二则它故示优待，好贯注全神，向我个人进攻。这就是兵法中的上策“攻心为上”。可惜迟了三十年，它要向一个在血泊中打滚的“新闻记者”进攻，这是绝顶的“聪明”；我这个隔离室内，却一天一天的富丽起来了。有酒，有肉，有报看，还有些标致的日本娘儿们来瞧我。到了九月六日，一个原田倭队长见访，搗了几句鬼后，临走他再三问我“还缺少什么不自由的用物”，我说：“多谢，多谢，再给我几册《中央公论》、《文艺春秋》，就顶好，顶好。”乖乖，真是有求必应，这天晚上，他就都给了我，还夹上几册《朝日画刊》，田尻鬼子更对我“另眼相看”，他笑阖了两只鬼眼说：“你的快快北京‘开路’去。”我听了又不由得打了一个寒噤。

13 看见“万牲园”

鬼子要送我进“万牲园”了，这是应该特别“恭顺”的，我就此伛偻其背，蹒跚其步，终日打哈哈，白天是显出万分“乐观”，一到夜间，我的脑子里就在放电影。我仿佛看见那鼓励了我近十年的宋漱石先生在对我说：“我们要做人，做一个有灵魂的人。”我仿佛又听见我们的社长王亚明先生说：“冬天又快到了，山西很冷啊，带个手炉去吧，要买一个‘顶好的’。”我每夜梦见我的母亲，她是一个旧式妇女，常读《说岳传》。而每日每夜时时刻刻在我脑子里盘旋最不能忘记的，我应该大书特书，大声疾呼的是，我记清一个日本的岩佐军医中将野战病院院长，他曾经这样朝我说：“我有一本你们蒋委员长的言论集，我们的少尉以上大家有，而且都背得出了。”除此以外，我更没有忘记一个官运亨通的“日本通”，那搂着日本姑娘，花够了日本金票，死在鬼子一杯药酒下的北宁铁路局长陈觉生。总而言之，一个黄帝子孙的中国人，都要认清，那些寡廉鲜耻的汉奸们，他们是不忠、不孝、不节、不义，还不智。在鬼子们要吃尽“支那料理”的今天，做汉奸也不是一件简单的事。

14　读《庸报》掩鼻

进了优待室后，我每顿要吃三碗饭，我要吃出力气来“溜了”，鬼子们束紧了肚皮在喊“节约”，每人每餐只吃一碗，平时他们也吃不多，看我吃得这么多的饭，好像有些肉疼。其次，我每天闹着要看报，并且指定要好多种的日本报。鬼子有时照给，有时却故意藏起不肯给我看，后来桑木倭司令要我写一本《跃进的日本》，限我五个星期写完，又送来大批日本书籍给我看，日本报纸也从此每天不间断。我每天苦读强记，一句、一字，不放松，我的头发一天一天看着白。最好看的是《庸报》，这是鬼子在天津的最大传声筒，新闻都是虚构的，当然没有人要看，它就在副刊上想法子，由几个从棺材里挖出来的腐尸，每天吟风、弄月、赏菊花；在那上面哼着、唱着、摇摆着。习见的是几只什么刘春老（状元）、章一老（太史）、金息老（闻人）、何一老（都督），小偷儿金梁成了闻人，认贼作父的何一老，就是那何海鸣狗东西，他们每天都哼出一首诗，今天你捧我，明天我捧你，川流不息的呵卵子，我看了恨不得立刻把钟馗请来，将这班鬼东西嚼下去。最令人可气可笑的，是这班腐尸也在那里喊“尊孔”，他们还记得一位孔圣人，这个脸也就厚得可怕了。

15 哭“山本”破涕

一个曾经走遍了半个湖南的“山本荣治”，是在九月二日死掉的。他是一个惯使障眼法的日本高级侦探，曾在长沙办学经商假义散财，他一手造成王克敏今日傀儡的地位，费去了三年多的心血（山本荣治之女华子在《庸报》上的谈话）。他终于做了王克敏的替死鬼，吃了我们的爱国志士两粒卫生丸，一粒从前胸穿出了他的后背，一粒打进了他的狗嘴，带出了七粒狗牙，当时没有死，医了半年，伤势已渐渐转好。他死的时候，正是华北诸丑内讧激烈的当儿，而当时侵华倭寇正在我大别山一再失利，他是捶胸痛哭，忏悔莫及死去的。种豆得豆，依据因果律，也应该这样打死的。这位“山本荣治”死后，王瞎子如丧考妣，大哭几场，几乎把两只狗眼完全哭瞎，狗嘴哭出诗来，于是《庸报》的副刊上，又发现了王克敏哭恩人“山本荣治”的伤心诗，《庸报》就更加臭上加臭了。也不能怪他伤心，自从那山本荣治无言归去，王瞎子失去了一个有力的牵线人，王揖唐那只老浮尸，就骑到瞎子头颈上去。傀儡的滑稽戏，真是丢尽了狗脸，我在那鸟笼里闷极无聊的时候，看看这类“文艺”，不禁解却一丝烦恼，也会不计工拙，不调平仄，来个口占一绝：

王瞎来哭我来歌，
喜见山家泪滂沱；
黑龙会上霸业尽，
似君埋少不埋多！

16　一“官”附身

此时，我们由徐州来一群难友，坐在铁丝网里受尽鬼子的虐待，二百九十一人的伙食，每天只发给四等面粉二袋，分两餐煮食，面粉已有异味，又无小菜，吵闹几次，才给了几个臭萝卜。习惯面食之北方人也不能下咽，南方人更不必说。在如此的恶毒待遇下，每天还要做苦工两次，我虽然移至铁丝网外，反不如从前自由，鬼子绝对禁阻我与任何中国人单独谈话。本来由九月一日起，全体难友均须出外做工，我也要随军参加苦力，田尻倭中尉兼任苦工队长，彼时增援华北之倭寇，尚未开抵塘沽，天津也很空虚，田尻鉴于负责监视俘虏的倭兵力量单薄，尤其在出动至南营门外及南开大学一带做工时，极易逃亡。鬼子很费踌躇，因为他对这二百九十二人，既不能杀，又不能放，不杀的原因，他是想不费工资，役使中国人为彼做牛做马，做得精疲力竭时，再喀嚓、喀嚓的杀个干净，以除后患。开始做工时，为了要将我隔绝在俘虏群外，原定提出我一人，终日坐死牢，不许出外，后来江田鬼参谋策划，假意示我优遇，一方再用甘言哄骗，不时来说："给你一个县长好么？"甚至仅隔一夜，即报升迁，又跑来说："马上给道尹你做。"它每日哄骗不算，当面还来鉴貌辨色，看你在怎样打算。暗地有个朝鲜光棍在窥探我，所喜一个凶恶狡诈兼而有之的板垣，我曾将他轻轻玩了一下，何况这班家伙呢，我当然是"受宠若惊"了。这样骗来骗去，那个桑木倭司令就给了我个"淘阴沟的督察官"，鬼子说："待你诚意发现。"哈哈我做官了，打九月七日起，每天要跟在俘虏队后面，做淘沟者的"督察官"。我自从一"官"附身，鬼子给我的第一个命令，就是三个"杀"：（一）情报口止，俘虏如将信函暗交土民，督察官责任者，先杀死；（二）俘虏不许买卖的，有不守本规则的，督察官责任者，杀死；（三）逃亡一人，督察官责任者，先杀死。鬼子的主意它真要绝子、绝孙、绝女婿，淘阴沟去，还有三个死罪跟着你。

17 敬求墨宝

我自从一“官”附身，日间要小心翼翼淘阴沟，我晚来还要拼死拼命看日本报，鬼子们因为我有了一个“官”衔，有的走来求我写扇子，有的走来请我题几个字，而且是卑词、厚礼、虔诚的求，这是可与几多兵种不同的鬼子接近逗谈的机会，可是我因为过去吃尽他们的苦，受尽他们的气，应该先报复一下子，我遂和一班倭兵约法三章：第一，每人准许求写一件，既然“亲善”，什么“打倒”、“膺惩”一类有碍“亲善”词句，一概不写；第二，求汉字，依据中国风俗，求书人应先写出“敬求墨宝”四字，欲题上款者，下面要写个 ××× 人叩求，如“千代龟太郎叩求”；第三，多谢礼物，牙刷、毛巾、牙膏，少少要，酱菜、咸鱼多多要。鬼子们都是些势利小人，他们就件件都依从，前倨后恭。在我虽然有隔世之感，可怜，一班苦到万分的难友们，才吃到一点咸菜，咸萝卜。那没有盐吃的人，比没有肉吃要难受百倍的。鬼子中也有几个不肯照办的，我又很耐性地这样解释说："二千六百年以前，日本人就接受中国文化，那时你们手捧大块金砖，中国人还不肯写，后来你们像拜佛似的跪下来求，你们才有了文化，才造成了你们今日室伏高信、菊池宽这样好的文人。"这"二千六百年"五个字，我在鬼子的《文艺春秋》上面，看出了他们的心肝五脏，今日每个鬼子多在下死劲精研汉学了，所以我虽然如此的来了个"汉学新诠"，他们也就疑信参半的"敬求墨宝"，但是那些受过中等教育的鬼子们，可就够缠，他涎着脸，哀哀的要求你，写个"日支亲善，东亚和平"，或者是"不思家乡思帝乡"，我因鬼子都欢喜吟诗，我就常常赠诗，像这样的诗：

不思家乡思帝乡，
我愿跨海到东洋。
风伯带阵铁雨去！

眼底一片修罗场。

那时我真哭笑不得，我想死在阴沟里的人，最不值得，为了要做薛仁贵，闯个大祸被枪毙，要得的。

18 “怪钟与妖火”

鬼子都是笨伯么，不尽然。我从徐州看到天津，仔细观察，一般精干聪明的，大多已“无言凯旋”，越死越少。八九月间，在天津、徐州所看到的倭寇，年纪小小的少年兵，嫩得像块豆腐，他们新兵退子弹的声音，是这样的，咣……咣……咣……咣响才响一下，我们的新兵却都是很熟练的……咣咣咣咣！一连串儿响出的。那些小鬼子、那些老弱的鬼兵，气力既小，胆子可更小，它们蹲在天津，杜门不出，托词是不愿进租界，其实是不敢进租界，每天怀着一个鬼胎，怕吃那炸弹，在华北的同胞精神很痛苦，只有炸弹的音响，才可以安慰他们，天津人已不是戏迷了，《黛玉葬花》不要听，《嫦娥奔月》不要听，他们要听那“风萧萧兮易水寒”，要再听一出《鱼藏剑》。天津的东马路上、福岛街上、中原公司面前，常时要：轰，轰，轰，那吓得鬼子发抖的怪声，它专拣日本商店轰，最神妙的是火柴，伟大的火柴，一根一寸半长的火柴，它能毁灭了鬼子们最伤心的新棉花，损害价值最少的一次是十多万，烧去它一百万日元的货物，也是常有的事。鬼子急得没法，傀儡们吓得没法，而“怪钟与妖火”的好标题，它和那《庸报》就结成个不解缘。

沦陷一年后的天津，它是给炸弹的巨声轰醒了，伪组织的汉奸，从北平来到天津下车之后，立刻向鬼子租界里钻进，再不敢大摇大摆住其他租界。天津伪市长潘毓桂，由三部汽车保护还是不敢公然从伪市府大门进出，天津这么大的市区，在伪市府控制下，只有一个第一中学校今年七月才正式开学，学生共约七十人，其中半数以上系市府职员子弟。校长为汉奸何庆元，是一个日本留学生，当我从徐州至津后第四天，天津《庸报》上面曾登出这样一条新闻：“第一中学校长何庆元，昨晨被刺，凶手为一形似学生模样十五六岁之青年，共开四枪，何中两弹，伤势甚重，该案现已查有线索，不日即可破获。”此案发生后，这个学校里的学生完全逃光，鬼子断定行刺之人，即系该校学生，于是曾在该校读书年在十五六岁之青年，认为皆有重大嫌疑，大施搜捕，《庸报》登载扔炸弹、放火、开手枪一类新闻，每次必加入“该案现已查有线索”一语，虚声恫吓，可笑已极。

19　伪组织的丑态

汉奸真不是人养的，我在北平《新民报》、天津《庸报》这两家汉奸报纸上面，看出它们一面奴颜婢膝，谄事倭寇，一面压榨同胞，资寇以粮。华北伪政府中重要部门，都为倭寇一手掌握，且架床叠屋，添出许多辅佐官、指导官、监理官各种名义安插“鬼官”。此类鬼子，官瘾既大，且多为寺内、桑木、喜多介绍而来，傀儡惟有奉承意旨，乖乖画诺。伪政府如此，那个狗子养出来的“新民会”的丑态，更其极丑态之大成，无奇不有。鬼子和狗子们，也做“民众运动”，他们就借此机会策动各省沦陷区内组织宣传，由汉奸缪斌担任宣传部长，但组织之权则尽为鬼子一手包办。该会除设有宣传、组织两部以外，另设指导部，其中担任指导者，都为倭寇，每部且有倭次长两人，在内操纵。该会不时在汉奸报上宣传，哪里已组织支会几所，哪里已成立工会、农会几所（或曰劳动协会），惟一察其宣布之人名单，则一人往往要兼任七八个委员，民众团体中，也有次长，也有顾问，鬼子的官瘾一天一天在扩大。至于这个“新民会”它究竟成就了些什么，它们也会自画供状，鬼子办的《京津日日新闻》曾经这样说过：“各地新民会同志，散漫无力，甚可忧虑，多处工会、农会，空虚无力，对帝国不忠，应重加检讨。”于此，可见在沦陷区内，倭寇所施之怀柔毒策，完全失败！在平津、济南、太原各地之“新民会”招牌亦不敢明白挂出，不过有几个狗头在那里狂吠乱吹。汉奸缪斌卖国求荣之结果，其无锡祖墓曾为该地义民发掘，缪道士（缪斌之父）死后有露骨之惨，不知汉奸缪斌可曾知道这回事，可叹可叹。有人问我，鬼子为了组织新民会，花去大批金钱，而工作始终不能开展，其故何在？这原因说来也很简单：第一，人心不死，时至今日，国人岂愿再为鬼子去做“民众运动？”其次缪斌本早为国人所不齿，民众根本就不相信他，加之鬼子多疑，对于这个宝货，且不敢加以信任，所以这个比狗屎还臭的“新民会”，即形成一块乱葬坑，死猫、死狗，就都埋到那臭坑里面去。

20 纸币歼灭战

我在倭寇的前线和后方，还带来一个法币打败鬼子的胜利消息。战争本来是非钱不行的，而造成现代最残酷的战争因素，根本也就是钱，在这一次战争中，我国因为法币政策成功，外汇始终稳定，我们纸币的防御工事，早就筑成一道马奇诺防线，而且坚固非凡，出乎鬼子意料之外。当去年战争爆发了，倭寇占我平津后，鬼子最初以为能侵入我全国经济中心之上海，摇撼我法币信用，以至颠覆，即可缩短战争时间，稳获胜利。哪知事实却在鬼子梦想以外，在江浙各沦陷区内，我法币流通如常，固已使鬼子惊诧失望，华北各地我同胞拥护法币之热烈，亦一如平日，并不因一城一地之失，有所动摇。鬼子鉴于朝鲜银行纸币，不能深入我沦陷区内，即着手组织一伪“中国联合准备银行”，发行纸币。倭寇侵入徐州等于冥钞之鲜银卷、伪联卷、军用手票，跟着倭寇兽蹄，沿着津浦铁路，积极向鲁、豫、苏、皖各占领区内流入，于是一个令人兴奋发狂之纸币歼灭战全面展开，双方阵容，有如下述。作阵地战者，我方为“中央”、“中国”、“交通”、“农民”四种，其余如向来亦甚得民众信用之“中南”等行钞票，则不时出没敌人前后左右，在打游击，各沦陷区内埋藏尚未出土之大洋，亦如后方壮丁，源源而出。敌方当面为“朝鲜”、“正金”、“伪联”鬼票。伪钞另有一角、五角、一元之军用手票，在四处扰乱，结果，我方因得民众协助，大获全胜，敌人因信用扫地，天怒人怨，大败而逃。根据本年八月《东京朝日》及汉奸报纸所载，鬼子亦自承失败，承认自去年九月至今年六月，鲜银卷流入我国达一千八百万元，现已收回一千二百余万，正金银行钞票完全撤退，伪联合银行卷及军用手票，溃不成军，正在整理，鬼子处处在自掘坟墓，印有“大日本帝国政府大藏省银行”军用手票，一至济南，鬼子即不认账，拒绝使用，到了中国人手里，更不理你，一方面还有些专门制造伪币的日鲜浪人，在济南、太原各地，大拖鬼子后腿，所以我们同胞对于鬼票、伪卷，恨之入骨，加之各地游击队对于打击伪钞之宣传，深入人心，更得到莫大帮助，在沦陷区内，法币价值，高出伪币，有如此可喜现象：

徐州　　我国法币　　一元三角　　日币伪钞　　一元　　倭寇军票　　九角

济南　　我国法币　　一元一角　　日币伪钞　　一元　　倭寇军票　　拒绝使用

21　松冈洋右的没趣

九月九日的晚七点，我们团坐在马厩外面空地上，静听一个倭“指导官”的说话。这是“新民会”派来卖蒙汗药的，其人约有三十岁开外的年纪，初次来此宣传，大卖气力。大概太兴奋了一点，他在说明日本对外国策后，即刻对于英、美、法、苏各国，大骂而特骂，他说：“英国是个老狯，美国是个骗子，苏联是个强盗，法国是个姑娘。”混说一阵，忘其所以。当他说到“法国是个姑娘”时，几十个日本鬼子也哗然大笑，笑得他好没意思。这个混蛋就妄逞诡辩，说他曾经到过巴黎，而巴黎是个香水香粉的有名花市，那里法国人都打扮得像个姑娘。这也不要理他，后来他说得太起劲，竟连连说出两句，日本要打倒“伊太利”、“独逸国”，哈哈，日本还要打倒意国、德国，我忍不住好笑；鬼子都不耐烦地站起来了。

北方的新秋，气候更明爽可爱，晚来坐在地上，看看天空的汽球（八九两月鬼子常常演习防空）回想到我们前方将士作战的艰苦，心头老像有块铁片。这晚听了鬼子报告几段新闻，明知多半虚构，听来不免伤心，第二天正拟到南开大学看看，鬼子竟闷声不响将我们押往东车站去，到了车站，田尻才告诉我，说是满铁总裁松冈洋右到了天津，松冈洋右这鬼，他是一个霸气横溢、辩才无碍的精灵鬼，他带来几十个鬼子看我们，想看出一点道理，带回伪满去乱吹。我们这一队所谓俘虏群，本来士、农、工、商、兵都有的，内中有两个戴瓜皮帽顶的，给几位外国记者看到眼里，好生奇怪。松冈和同来的鬼子看见俘虏里面有中国老百姓，再看看那几位外国记者在窃窃私议，似乎也好生没趣。当场原田部队长狠狠地骂了田尻几句，怪他管理不良。傍午我们回到马厩，田尻走来气愤愤地对我说：“你的为什么要戴上小小的帽子？”我听了躺在地上尽笑。

22 先防谍

我在天津东车站（现改称总站）看了两次，每次看到那贴在墙角上的斗大的“先防谍”三个字，我觉得鬼子们谍报工作的认真，委实可佩。同时我看到他们这样虚张声势，故作惊人，写出斗大字来骇人，也不免觉得狂妄可笑。这种做作，在津浦沿线，在天津各码头，都是一样的；而鬼子们对于入境登记很认真，他们是把天津看得比任何地方都重要，然而我们的爱国志士和游击队，依然是大摇大摆走进去，因此，鬼子却更加躁急，更加重视防谍工作了。但是，他不能杀尽中国人，到处都有空隙，说到鬼子的“先防谍”，联想到他们派到我国各地及各海岸线的间谍，鬼子是喜欢夸张的，在他们认为某种任务完成后，日本的新闻纸上，就时常有这一类的消息往外披露，我到天津不久，曾看到如此的报告：

某日某人到香港

某日某人到海防

某人抵昆明

某人至龙州怎样怎样

某人作何消遣

某人至某地购买何物

某地有汽车、汽油若干

在正常的情报中，夹进的私人行动，还要嘲笑几句。鬼子是好弃玄虚的，他们刺探我国内情，往往也有出之于臆测捏造，然而也有被他猜着的。此何时也，为什么不谨慎万分，负有重要任务的，本人固然要万分谨慎，而随从人员似乎也应一体进处于密，退藏于密，才能达到一个守口如瓶、一隙不漏的重大目的。至于私人行动，更须特别留心，因为被鬼子知道，他也要当做好材料拿去宣传的，不谈别的，即使某人仅仅经过某地，偶然做了一件不干净而又荒唐的事，一旦披露于日本报上或是汉奸所办的报上，这给予沦陷区内的同胞看了，多么令人伤心，多么令人失望！鬼子现在是戒慎恐惧，天天在喊“先防谍”，而我们就得时时刻刻注意到“先防谍”，常常在广州湾、香港、海防往来的人，住在 × 旅馆内时，最好不要把“× × 部”或是“× × × 会”写出在粉牌上，公用汽车上面的标志，在抵达广州湾时，最好卸除掉，这都是我亲自听到看到的，我忍着臂疼来写的。

23 “扫游”座谈会

关于华北各省我们游击队的活动情报，从日本报纸上面看出，截至今年八月，显然的已形成了三个中心，一个是冀察边区，一个是晋冀边区，一个是冀鲁边区。这三个边区，在万山丛中，凭借太行山脉、恒山山脉，险峻的地利，构成了坚固的堡垒。在过去六个月中，华北倭驻屯军策动的三次对游击队扫荡战，都在那崎岖的山岳地带，一次一次，粉碎了它的迷梦，至少已消耗了鬼子三万兵力。据江田倭参谋告我，彼等万想不到在那瘠苦的山岳地带，以大地为床，以森林为帐，以星月代灯，以刀石取火。如此的环境中，还有人在那里宣传三民主义。江田这鬼子，在我所见的二十余倭参谋中，是比较最难唤醒的一个，也是最厉害最难应付的一个日本狗头军师，他常走来和我谈谈中日两国的政党，每次谈话结束，他对于我们领袖伟大崇高的人格，都很诚恳的表示敬畏。在今年塘沽倭寇登陆增援华北后，华北倭寇拟大举扫荡我游击队，借以巩固他的所谓“新政权”，那时鬼子的同盟社驻津特派员，以及东京大阪各报驻津的倭记者，举行了一次扫游座谈会，到会的倭从军记者，有几个曾经亲身领略到我们游击健儿的手段，发表很多等于为我们宣传的谈话，我约略记得这几个：

池上　今番扫荡北支游击队，宣抚班应就地征募支那有志，多多从军援助，不然，亦徒劳耳。

安达　山西土民与“皇军”之亲善程度，不复有先日热烈，何解？（即不解）

永田　应加强灭党宣传，永恒注视国民党在北支的新势力。

藤井　军中征用驮骡，一番心神苦。

治本　徒劳，徒劳，支那鬼畜毒策多。

在十余人谈话中，说出了二十几个“徒劳”，所以华北就永久是我们的，鬼子们休矣。

24　不够本

在沦陷区内，鬼子们学会了一句“不够本”的中国话，现在每个鬼子都会很熟练的说出一句“不够本”。我在徐州被禁的时候，天阴欲雨，鬼子们说“不够本”；大风飞扬，鬼子们说“不够本”；汽车开下麦田，鬼子们说“不够本”；肚子泻了，鬼子们说“不够本”；甚至我的鞋子破了，鬼子们也说“不够本”。起初我很奇怪，后来日子久了，我细细咀嚼这“不够本”三字的来历，我想起北方同胞做买卖的，在讨价还价当儿，都喜欢说句“不够本”，就是说货价不够本钱，不能贱卖，即使他卖给你了，有时也要说上一句，表示他做了蚀本生意。可是这“不够本”三字传到日本鬼子口内，真不知流尽了几多伤心的眼泪，蚀光了多少中国商人的血本。原来日本鬼子在占领地内，有一句“公买公卖”骗人的口号，等到赚开了商店的大门，他们就打伙儿带来军用手票买东西，一块钱的货物，鬼子最多给价五毛，而且不管卖不卖，拿了就跑，这时老板们当然要喊一句“不够本”了，可是你喊你的，他是越跑越远，绝不睬你的。差不多每个鬼子都曾听过若干这“不够本”的悲惨呼声，他们却不求甚解，以为这大概是说他们不好，久而久之，举凡鬼子们所见不好的事物，他就不管三七二十一，说出一句“不够本”。因此，凡是日本鬼子走到的地区，这“不够本”三字也就跟着来了，抵抗法子还是有，我在天津淘阴沟的一天，曾经瞅了一个空子，偷偷地和一个天津商人谈了几句，我说：“你与其天天不够本，不如带把算盘打游击战去。”唉！真正“不够本”。

你也不够本，
咱也不够本，
家家不够本；
鬼子坐不稳！
送鬼下东海，
咱们不蚀本；

打倒日本鬼！

咱们才够本。

打日本！打日本！

打倒日本才够本。算盘也怒吼了。

25　招招落空的日本鬼

在今年七、八、九这三个月内，来华倭寇海、陆、空军将、校、士兵，死于我国南北各战场者，其人数虽难得精确统计，但至少必在二十万以上。九月上旬，日本国内各地纷纷举行所谓“卫国英灵祭”，东京《朝日新闻》曾发表一部倭寇阵亡将兵姓名，其中有佐藤海军中将及海军少将各一人，中佐一人，尉官三人，系于今年七月乘机飞经安庆附近，为我军击落，机碎人亡，无一幸免。此一消息，记者于九月底脱险至沪时，始见之于我国报纸。此外，我特别注意所谓因开发北支、中支宝藏陈尸于我国矿山、棉田、牧场的倭鬼，在九月五、六日的日本报纸上，其数得有一百七十余人，死在我国察北、绥东、晋北、晋南、鲁南、苏北各地，死者大部为专门学校和东京高工的高材生，都是经日阀多年栽培而成的经济侵略急先锋。他们的年龄，最小的为二十二，最大的不过三十五。万恶的日本军阀，他们只晓得垂涎着中国的棉、煤、木、铁、米、麦、豆、丝、茶、皮、毛、盐、糖、油，将中国的各种出产，印成十几种小册子，去煽动那些蠢蠢的日本鬼，用心万分周到，算计非常巧妙，哪知侵入我国以后，抢到手里的煤矿、铁矿，以及那广大的肥美棉田，只能拿眼睛看看，依然不能到口。鬼子特别注重的军事工业资源，如晋北的煤铁、晋南的棉花，自占据我太原后，花去三千万以上资金，至今毫无成绩。井陉因为被我游击队不断袭击，鬼子成立的矿业复兴处，如今已不敢招工，内外棉株式会社派到江苏南通去收买廉价棉花的倭商，回到上海的时候，脑袋已经不见；说到茶叶，那更好笑，皖南的产茶的地方，虽然被鬼子抢去几处，而落到鬼子手上的茶叶，只不过仅够几个倭商如烟俊六等，泡两碗浓茶喝喝。弄来弄去，还是脚脚踏空，所以鬼子就不得不倚赖汉奸，妥筹对策。如上海的余大雄一班败类，曾经特别卖力，组织华茶公司，为鬼作伥，殊不知汉奸的寿命，是动物中一种最短最短的短寿者。华茶公司成立后七日，余大雄就在两记利斧下，了结他的一生混账。最使鬼子失望的，无过于棉花。今年二月出版的日文《中央公论》是鬼子专门研究华北问题的特大号，上面披露关于华北棉、麦、大豆的各类调查统计，材料的丰富，真使我读了舌结不下。其中所述日本每年使用原棉一项，说明日本目前最苦的一件事，每年需要采购外国棉花一千五百万担，而中国过去每年只能产棉五万担，其余必须采买美棉、印棉。今后日本统制中国，实施五年计划，可使中国棉产增加五倍，实行专卖，排斥美棉、印棉，则日本今日所苦者，他日将乐不可支，如此云云，满口乐观，算盘打得很好，可惜珠儿拨空，如今，鬼子在青岛想恢复二万纱锭，但因没有棉花，也就没法开工，鬼子说鬼话，结果大率类是。

26　掩面出考场

我自从被俘以后，百十余日中，经过倭寇大小十余次的审问，板垣以判处死刑威胁我，桑木以重用厚薪利诱我，鬼子宪兵以铁棍击伤我的脑门，每次都被我东扯西拉，装聋作痴，轻轻混过。可是这最后一次的考试，给予我的痛苦，我直到老死也不会忘记的。日子是在九月十二日，这天早晨，笹沼倭通译官由海光寺来一电话，通知我当天不必出外做工。半小时后，我就在田尻倭中尉和两个倭兵监视下，重进海光寺。到了倭司令部的参谋处，江田倭参谋和四个由北平倭寇派遣军司令部派来的鬼子，团坐一室，好像专为等我，笹沼从一个鬼子手中取来两纸印有“陆军省”三字的稿纸给我，上面已写好题目：“一，对于蒋 × × 之感想；二，对于共产党之感想；三，复兴支那农村之对策；四，对于北平新政府及南京维新政府之印象。”江田朝我笑笑说:“你的考试，考试。”我觉得事情有点奇怪，那四个从北平来的鬼子，一个是陆军大佐，三个皆是尉官，考试我不怕的，今天的考题太奇特。一、二两条，显然是拿来测验我的思想；第三个题目，它是针对我的履历中所书调查战地农村生产记者一项，看你怎样写法；第四，试验我究竟有做几等奴才的资格。我考虑了几分钟后，装出很兴奋的样子，提笔就写：一，蒋委员长为全世界敬仰之伟大人物，其生平言行，日本有名之新闻家曾著有专书，备至推崇，今虽事过境迁，然蒋委员长为力求安定东亚局势，披荆斩棘，领导全民建设新中国之丰功伟绩，此在日本第一流政论家，如室伏高信等诸君，亦不否认；而一自卢沟桥事变至今，中国国家之统一，全民抗战情绪之高涨，试一观日本军队占领地方，虽在穷乡僻壤，其墙顶屋角，中国民众所书之“拥护领袖，抗战到底”誓言，几到处可见。余曾亲见日本从军记者，对之正容凝视，摄入镜头，余甚感诸君爱护，不能以阿谀之词，欺骗诸君，故率书所感如上。二，中国是在一个领袖、一个主义、一个政府的信念下，力争国家之独立，民族之生存。诸君所得之情报，其中所载，关于中国各党各派之记述，多出捏造，此辈以骗取日本老头票为职业，以后望勿为所欺。三四两题，写得最少，鬼子亦不甚注意，不过鬼子们看见我如此说法，大家向我摇头微笑。江田又对我说："不久你到北京去。"我央笹沼通译向北平来的大佐要求，赶快恢复我的自由，如果仍不允许，我愿伤残肢体，成一残废，放我回家见我老母。鬼子们摇手说："不要，不要，你的人格有，你的心好好，不要紧的，不要紧的。"这是最后一考，我还是不即、不离、不卑的答复了，可是，我在走出这考场时，我的眼泪止不住夺眶而出，我拿袖子掩着脸，走回那马厩。

27　神誓

九月十二日下午，笹沼倭通译往来于海光寺与香烟厂，传达命令，状极忙碌。晚餐过后，他带了两包鱼皮花生，一瓶啤酒，携至我的卧室，邀我对饮密谈。他说：“你真幸运，像你这样的支那人，早该杀了。其所以不杀，而且还要给你事做，是（一）因陆相来文，说你豪胆机智，从未求饶，品行高洁，不忍杀你，有利用企图；（二）因‘皇军’自攻占平津、京沪以来，每至一地，对于吸收中国新闻记者，并未感到若何麻烦，认为无杀你必要；（三）因你的学识丰富，你对中国农林、盐垦、纺织、渔业，无所不知，日本新闻记者认为可以大大利用，不必杀你：（四）因东部队中有人为你说话，因为你替一个日本兵写了一面扇子，写了两句什么‘两行清泪寄老母，一瓣心香祈和平’，东部队长看了，来电教不要杀你（这个部队，就是日皇叔父东久迩宫所属部队，初时倭军中人都守秘密，只称东部队）。其次，我们大家都知道你是一个‘和平’人，不像抗日分子，都愿为你努力。”我们喝着谈着，一瓶不够，教那朝鲜光棍再买一瓶。那光棍跑得比狗还快，后来酒是越喝越少，话是越说越多。他又告诉我说：“九月十五日，天津要举行一个反 × 反 × 市民大会，“九一八”要举行一次灭党反 × 市民大会，但是，到会的人恐怕不多，因为屡次开会，都有人来丢炸弹的，而据密探报告，英法租界内抗日分子，今番将大举暴动，可恨，可恨，你们中国人，良心这么坏。”他已有几分醉意，我虽不欲再逗他说，他还滔滔说个不住，又怕我不相信，掏出一本日记簿，写了二字“神誓”，他赌咒了，我恐功败垂成，弄出事来，唤来朝鲜光棍，送他回海光寺去睡觉。

28　最毒鬼子心

笹沼走后，又来了一位江田倭参谋，也是喝得酒气刺鼻，脖子都喝红了，他却没有醉，他已和我弄熟，可是，他的居心很深，时而送鞋子给我，时而给我吃羊羹，我都很沉着地应付了他。今晚进来，先打着哈哈，拍拍我的肩头，然后从怀里拿出一卷画片给我看，内中夹了几页春画，样子下流不堪。我对他点头笑笑，彼此瞎聊一会，转入正文。他才一本正经说明来意："本来寺内桑木对于恢复你的自由，并无成见。因为征求《庸报》和南京宣传局的意见，要你表示一点诚意，事情很容易，只需你写一篇文章，然后再至电台广播一次即可释放给职。今天最后决定，现在正有机会，因为"九一八"快要来到，军部来电指定要你写一篇《为灭党反 × 告中国国民书》，最迟须于十六日下午写好，到了"九一八"

这天，再派车来，接你至电台广播，这是很好的机会呀，你该如何谢我呢！”好厉害的鬼子，好毒的条件，鬼子要我自绝归路，要我自弃于国人。我算算限期，还有四天，我绝不踌躇，霍然跃起，抱住江田两臂，连生喊好，大叫“阿里阿笃，阿里阿笃！”我笑出了眼泪，对他说：“我怎样谢你呢，我明晚陪你去跳舞好么？”江田那鬼，看我这样欢喜若狂，面有得色。我又向他要纸要笔，他答应次日送来，他是对我更加亲热了，临走留下一页画片，笑合了两只鬼眼说：“给你一个日本姑娘。”

29　顶天立地不事仇

这都是狗子们代鬼子策划的，鬼子要逼我走上畜道，做衣冠禽兽，这该是我溜之乎也的时候了。九月十二日晚上，我一夜没有合眼，夜间想起来跳墙，听见窗外狗“汪汪”在叫，鬼子听到我屋内稍有响声，即刻拿出电筒，四处照射。我屏息不响，又走进我的屋内，看个仔细，我思索一夜，想好几个脱身办法。到了次日早起，看看那警卫森严的样子，我又没了主意，真是“一夜千条计，朝起没主意”。十三日我走进南开大学修理房屋，这是靠近牛皮厂河滨的三栋平房。据说原来是南开教职员的宿舍，里面地板窗格还好，难友们在那里搬砖运瓦，我走来走去，在想办法。我看着鬼子走开，就走近一班本地工友面前，和他们兜搭，一个××，他很关心我，向我问长问短，他悄悄地告诉我一些日、法交界地方的路径，我很谨慎的，装做不甚注意的神态，我暗地想出一个极险极险的脱逃办法，准备在三日内逃走，先松懈鬼子卫兵对我的监视，向他们普遍宣传说："我不日要到北平做官去了，我们以后还是'良友'，我没有官架子，你们尽可来看我，我请你们看戏、吃酒、拍照片，没有钱用，可以写信问我要。我很可怜你们，每个月只有八元八毛钱，跑来这么远的中国，这是多么辛苦呢？"鬼子们因为江田已经关照过他们，大家很相信我的话，你也揪揪我的胡子，他也揪揪我的胡子，表示"亲善"，我已四个月没有剃须，处心积虑在准备逃，准备在跳出虎口的一霎眼间，操刀一割。鬼子，鬼子，我到处也没有真面目给你们看了。

30　不辞而别非礼也

九月十三日下午，由南开大学工毕回马厩，我随着俘虏队跑回时，开始试探鬼子对我注视的态度。我时而走上两旁的人行道，一会又假装脚痛，故意落后。每次以五分钟的时间，窥探那押队十余鬼子的神气，不待他们的眼光扫射过来，我就很迅速的走近大队执行我的"督察"任务。这天押队的倭兵，都是新兵，胆子很小，不时掉头向我注意，因而无机可乘。但是，我一路观察，看到那些不断往来的无轨电车和公共汽车，加强了我在中途脱逃的决心，决定在十四、十五两天内逃出。对于逃出虎口后，怎样才能安全走入法租界，还是落荒而逃走向塘沽？我一概不加考虑。我路径不熟，一钱没有，只凭那拼死不屈的勇气，咬紧牙齿，狠狠发誓，决不顾生死，拼命图逃。在这紧要关头，我若瞻前顾后，就要消失勇气，功亏一篑。我个人策划已定，心神皆畅。

自从鬼子们知道我快要到“北京上任”去了，当晚，贺者盈门，有的拿来一方白纸，请我写几个字，有的又拿出日本前任陆相杉山元赠给倭兵的扇子，要我题字。这类扇子，一面已有杉山元亲笔所书石印“忠烈”二字。我看到眼里，就要冒火，这是最后的一把扇子，鬼子逼着我立刻就写，于是我又挥毫写了两句：“铠袖一触胡儿扫，从此东亚现和平。”下句不成问题，鬼子大多厌战，含眼泪在幻想和平。上句“胡儿”两字，鬼子看了都跳起来，大家说：“不行的，不行的。”我板面孔说：“怎么不行呢？铠袖一触，在日本报上常常看到胡儿就是胡子，中国是通用的，你们不是常常说，要到关外去打胡子吗？”这样强辩，鬼子也就转怒为喜，拿起就跑。我不禁又暗暗捏了一把汗，鬼子们有的真正狡黠可恨，有的愚蠢的确也可怜。此日我吃过晚饭，脱光袜子，躺在地上凝神静想，将江田留下的一页画片夹在脚丫，手之舞之，足之蹈之，来宁静那一颗跳荡不定倏喜倏惧的心。

我想到不辞而别非礼也，又偷偷从地上爬起，很诚恳的写了一封信，留给倭酋，上书：“桑木将军阁下，上国衣冠虽未沦于夷狄，但‘皇军’宠临津门，已逾二年，大事不谈，人生所争，无过衣食，日本不能无棉，晋、陕、鲁、豫，万山烽火、此中好棉，非唐克车及陆上荒鹜所能载而出之，此诚遗憾，天实为之。其次，说食，今日天津鸡蛋市价，每元可买十七只，何其贵也。‘皇军’陆军菜市场中，青物日贵，韭菜没有，重价求之，而此菜味恶，不得已求之，何其惨也。此种现象，出之于战地，了无足异，出之于‘新秩序’行已一年之天津，可深长思。再次说心，我身在天津，心在祖国，所以逃也，倘因啤酒、羊羹掷之可惜，请待数年，我当亲至东京放赈，借表寸心。”下书沧浪惜别。此信写好，我藏在身边两天，九月十五日逃入法租界后，十六日，走进意租界托人寄去。

31　割须弃帽

限期只有三天了，九月十四日这一天，一个难友突然对我说："你要三十六了。"三十六招，走为上招，几个知己的难友，大家想到逃，就彼此打这哑谜。今天这个朋友，他也是到死不屈的硬汉，其人是 ××× 师的副官主任，我们交情很好。我听了他这一句"三十六"，心里非常难过，同患难，共死生，历时三个多月，临走我不和他说几句，这是不应该的，好在我们都是肝胆相照，也不能计较这些了。当天，还是到南开做工，马路上阴沟已经做好，难友都到校舍里面工作，这天逃的机会最多，我都在那最后一分钟错过了。到了十五日早晨，五点钟我就跳起，七点钟又跟着大队难友，出发至南开大学。身边我本一文皆无，合了有些难友藏好几块钱，想买点食物，我找田尻向所谓陆军菜市场弄几元钱牛肉，这钱就没有还账，还有一元七毛钱在我袋内，我想留下。十五日上午工毕回去，途中想逃，我恐随时被鬼子发觉，危险较大，决定下午拔脚。四点钟后，我满身的血都沸了，眼睛内火星直冒，好在还能力持镇静。当天四点半钟收工，天赐良机，鬼子要先带两个小队前走，要我跟着最后的一个小队回去，我就在那两队先走，一队后走的空隙中，以极机敏的行动，跟着前两队走出二十码外，我再快步走回那最后的一队，教他们慢慢的穿好衣服，我和鬼子卫兵说了几句话，看看前队渐远，又急匆匆关照后队监视的鬼子，我要赶上前队走了，我就在鬼子们首尾不能兼顾的当儿，快步走上人行道，一个转弯，急向一条横马路穿出，我路径不熟，瞎闯一阵，闯到海光寺前，满身大汗，这时，我已将上身所穿的中山装脱下；帽子也抓在手上。走过海光寺后，在日本租界盘旋了有二十分钟，又闯回华界，慌慌张张，走进一个姓许的医生家内，要两件衣服化装。这位医生不知我是什么人，大惊失色，立刻奔出门外找警察去，我真给他吓死，又急忙从这医生家内逃出，帽子和身上衣服，都丢到那医生家内。这时我才如梦初醒，想起胡子还没有剃去，危险已极，连忙逃进一家理发店，假称我要剃须拍照，教那理发的在我嘴上先用剪刀两轧，然后就拿剪发的齿式洋剪，上下的胡乱一推，钱也忘记给，我说，我就住在隔壁巷内，人家等我拍照，一会再来。那理发的给我弄得莫明其妙，向我发怔，我出了理发店，还是失魂落魄的在乱闯。

32　死线突破

一会闯到河边，一会又闯到日本警察署前，看看五点钟已过，工厂内汽笛乱鸣，当天鬼子和狗子们捣鬼的“市民大会”场上，又爆发了几起震天动地的大炸弹案，鬼子宪警，完全出动，摩托车队满街乱冲，满眼尽是鬼子。也是我命不该绝，居然信步所之地闯进梨栈大街，看见几位安南仁兄，不禁额手称庆，暗呼侥幸，这才算突破了最后的一道死线。可是困难问题也都来了，我的裤子插袋内只剩两毛钱，其余都丢到那医生家里。天津这地方，我既无朋友，又鲜亲戚，熟人也没有一个；而且再巧没有，天津英、法租界就在这天贴出了巨大惊人的告示，声明要取缔不稳分子，要检查旅馆，晓谕界内居民，不可容留来历不明之人住宿。我摸摸袋子叹气；看着那告示叹气，打听江苏同乡会地址，又浇了我一头冷水，因为会址远在华界，而租界内旅馆不但大、小都不空，即使有房间，我也住不起。我向一家 ××× 房借到四毛钱，全部财产，共达六毛，我像是个饿鬼，一晚就吃光五毛，可怜我又像个乞丐，自惭形秽，不敢乱跑。晚间中国大戏院开演，想找金少山谈谈，我已走到后台，等到曲终人散，走来了一班明珰翠羽、烟视媚行的女人，她们打着京腔要看金老板，我忽然想起，我是形骸俱非，还是另打主意吧。垂头丧气，走出中国大戏院，只穿了一件衬衫，在秋风萧索的天津夜间，冷得就有些令人难受。我睡倒天祥市场旁横巷内，靠着那烧煤的地方取暖，到了半夜以后，乞丐走来向我挥拳，因为这是他们的园地，我不应侵入，走到无主的僻巷，巡捕怀疑我是小偷，看见就赶。如此苦境，我恨不得一头撞死，可是我憧憬到中华民族前途的光明，终于挺着腰身贴在墙上睡了，睁开两眼，张开大口，期待那天津的黎明。

33　慷慨拾荒人

九月十六日，为我跃出魔掌争得自由之第一日，虽然餐风露立，苦熬一夜，憔悴不堪，犹能强自振作，筹思归计。不过想到今天究将向何人求援，有谁可以助我巨额川资，万一到处碰壁，肚子饿了，怎样解决，不禁悚然而又凄然。穷肚皮是最容易闹饥荒，我眼看着巷口一卖豆腐浆锅中热气腾腾，加之隔夜风厉露冷，饱受寒气，几番想走进那豆浆店里，可是我摸摸那袋中仅有的一角钱票，只好束紧肚带，咽下馋唾。走回那小巷，这副穷相，给一个捡垃圾的朋友看到眼里，他笑着向我招手，喊我老乡，拖来一只装满煤屑的麻袋，让我坐下细谈，他问我：“老乡，你从哪儿来的？干什么活的？怎么连穿的都没有呢？”我推说：“我刚从北平来此，找朋友没找着，没有办法了。”我们正在谈话的时候，走来了一个八九岁的小孩，提来一壶开水，大概是捡垃圾的亲属。他教那小孩，先倒一碗开水给我，那小孩很有礼貌，端着碗喊我大爷。那拾荒朋友觉着君子之交淡如水，还嫌不够，又掏出一纸二十枚的钱票给我，硬逼着我要我去喝一碗豆浆，暖热暖热。我真不忍拒绝他这一种雪中送炭的热情，但当我走进那卖豆汁的小店，端起那一碗热腾腾的豆浆，热气竟润透了我的两眼，那咸涩涩的水珠儿，一滴、一滴不由得从我眼角流下，掺进了那碗豆浆。我正在喝着，那拾荒人带着他的小孩也走进了店里。我们喝完豆浆，随便闲谈，谈到拾荒生涯，他蹙紧双眉咬牙切齿带骂带说："你别小看这拾荒玩意，我过去在东车站，干这一行，一个月总可找进一百、八十。现在可不成了，拣的垃圾买卖，也被那三等、四等的朝鲜光棍抢去干了。还有那卖生果的一行，也给那日本鬼子包办了去，所以从广东装来的香蕉，会卖到两毛钱一根。"这人有四十多岁，他以为我是在塘沽一带干游击的。这是我逃出虎口，碰着的第一个热心人。他告诉我许多无名英雄在天津所干的惊心动魄的故事。这且按下不表，当另文详述，以唤醒国人，并鼓励志士抗战建国的决心。

34　今豫让

豆浆虽不能充饥，周身却有了热气，鼓起勇气，想找几家江浙人开的商店，凑集川资。岂意走了五家，都是冷冰冰的回绝了，这也不能苛责他们，因为我没有告诉他们真实情形。十六日上午十一时，我想走进 × 国 × × 馆。走到那里，考虑了最后一分钟，我又掉转身子，赶忙退回，因为回忆到那死守上海四行仓库的八百壮士现在的处境，恐怕遭遇他们的同一命运。这天在四顾茫茫的绝境中，很冒失的撞进两家和典当差不多的大铺子，幸而撞着了救星。一家助我化装从头到脚，给我换新，并派了一位司阍捕，保护我至劝业场，买了一顶呢帽，一套洋布衫裤，一件竹布长衫，外加全套鞋袜。我在劝业场里穿戴齐整，踱着方步，走向另一家铺子，拜访经理，虽然没有见着，也给了我一点乡谊，帮我解决了一星期的食宿。最后在无意中，碰着一位热心的朋友，独力资助了我三十三元，以二十二元买船票，多余的给我在途中零用。当我离开天津的前一晚，这位热心的朋友，带着我会见了一位铁石心肠的当今豫让。这位当今的豫让，他生长在绥远，在内蒙古、外蒙古走进走出了二十多年，为了抗日，将个人几十万财产，花得干干净净。去年，他的父母和他在绥远的朋友，全给日本鬼子杀死，朋友的头颅被鬼子砍掉以后，还丢在粪池内浸了一昼夜。这正如智伯被赵无恤杀死，还砍下头颅做成溺器同一惨酷。当初智伯的家臣豫让，志切报仇，不惜削发去眉，漆身吞炭，不与赵无恤共戴一天。我会着的这一位当今豫让，对于这类的史实，是读得极熟，所以不惜牺牲个人的一切，而效法豫让的行动。这个当今的豫让，原来是一个一百七十余磅体重的大胖子，现在为了便于报仇，瘦剩到一百二十余磅。他不是工人，要练习做工，两臂两手，给火器烙伤，臂膀上布满了太极图。我碰着的奇人也不少，可是像这样的汉子，我是第一次奇遇。这一晚我们很痛快的谈了半夜，两人谈对了劲，大家都恋恋不舍，天呵！民族仇恨是最令人不能忘怀的，我们要报仇雪恨，要四万万五千万人，都变成这样的今之豫让。

我会见这位今豫让的一晚，华北倭寇正在宣传捕获枪击汉奸王克敏的刺客黄虎臣，一张伪组织下的《新民报》，满载着捕黄的新闻，夸耀日本宪警怎样机警，如何迅疾，一面攻击英、法租界当局。又伪造黄案供词，说黄为旧东北军中将参议，有羽翼千余，潜伏某某租界，在 ×× 庇护下，专以暴行，威胁邦人。一套鬼话，战凛之情，充溢满纸。而据这位朋友告诉，为了王案，过去半年之中，鬼子在北平的宪兵司令，曾经更换三次，这次大概急得没法，又在罗织无辜，借以威慑铁蹄下我们的苦难同胞，真正的刺王义士，决不会落到他们手里。九月二十二日，我在上船以前，匆匆去向这位朋友告别。他紧握我的两手，说了一声："再见！"从此他那瘦长的影子，深深的摄进了我的心中。

35 长啸出津门

我自从九月十五日跃出了倭寇的魔掌，经过两天的奔走。得到两位侠义的朋友的援助，至十八日上午，诸事大吉，往上海的船票也买到手。最有趣的一件事，要算打防疫针了。因为至马大夫医院打针，要索一元，无意中走进一家小医院，我进门没有看清医生面容，一针打过以后，抬头一看，不由失笑，原来是个鬼子，暗暗想来，这是多么冒失。在上船以前，本想买条棉被，恐怕途中发生意外，也没有买。我乘的是一只英国商轮，船名“恒生”，停泊英租界怡和码头，这是在我出险后，由天津开出的第四只商轮。我眼看“云南”、“盛京”、“公生”顺次的开出了天津，走上那第四只一个很吉利的“恒生”，下意识地想“永生”了，朋友们也以为这样比较稳当，但是经过塘沽、青岛，怎样才可以避脱倭警侦查，谁也不能保险。二十二日的上午九点，我像小孩过新年似的，欢天喜地，走上了这条船，精精光光一个人上船。出远门的人，行李箱笼，一样没有，仅仅抓着一卷报纸，这个样子，只配在上海乘电车的，无怪乘船的人尽朝我看，其实我是心虚，我在疑心人家看我，不断东看西看。人家当然也朝我看。我恐怕被人识破，在管货舱的执事房中，买了一张铺位。船上职员，多半是广东朋友，上船不久，我正躺在那像棺材盖样的狭床上，津海关抄班的来了，每人执著一根电筒，东照西照，敲敲打打，查私货，查手枪，查烟土，我看内中有几只猎狗，鹰头鼠目，不是好东西，我抓来一本《小寡妇日记》，假装看书，遮住我的嘴脸，暗暗戒备，不到十分钟，查私货的查到我的头上来了。

这是一个三十多岁的河北人，他先查问我箱子在哪里，我说没有，嗣而又问我有无铺盖，我再答没有，最后问我随身带了几件衣服，我三呼没有。“咦”！他起了疑心，动手在我满身搜查，甚至还要脱下鞋子，给他看个仔细，没有查到什么。那狗很现出失望的样子，坐下来盘问我的来历，我又急又恨，眼泪也急出来了。我气愤愤的向他说："这是什么年头，我在天津做生意，每月只有十四块钱，而我上海家中，每月最少要花三十块钱，不得已卖去所有的用物，作为回沪的路费，只为穷得没有法子。假使你和我同一环境，你该怎样办呢？"货舱中的几位广东茶房，看我急出眼泪，大家都不服气，有两个自言自语地说："客人没有行李，这是常有的。"那狗见我说得理直气壮，狗头摇了几摇，就此搭讪走开。狗头走出舱门不远，满舱的人都指着他的背影，众口一声，送给他一个"丢那妈！"十一点钟敲过，鸣笛开船，我深深地嘘了一口气，再睡到那狭床上面，直挺挺地躺下，闭紧两眼回忆。想起过去这四个月的俘虏生活，好像做了一个噩梦。欧战时，各国战斗员在战地被俘，后来冒险逃出的，也曾演出很多稀奇古怪的故事，可是像我这样奇特而又滑稽的，过去并没有听说。正在觉得臭得意，蓦然想起马上要到塘沽、青岛，难关重重，当真我该死在海里么？才出虎穴，又到龙潭，越想越怕，又怕又恨，想了一会，恶狠狠指着自己的鼻头，暗暗的说："记住，记住，活的不给鬼子了。"重重下定一个蹈海的决心，胆子又壮起来了，这时隔舱有人唱歌，我就在那歌声、水声、汽笛呜呜声、多少丢他妈的声音交响中，呆头呆脑，长啸一声，告别了那可爱的天津。谁也觉得，当你走出那跌进厄运的沦陷区时，那里的一粒灰尘，都是可爱的。

36　夜泊塘沽

下午三点不足，船泊塘沽，这时我像一个热锅上的蚂蚁，急得乱爬，听到皮鞋响音，马上就从铺上爬下，准备跳海。等到晚饭吃过，六点以后，不见有人上船，我以为这里不是塘沽，后来听见隔舱一位扬州先生说话："这块就是塘沽，东洋人常常上来的，今天没有来，阿弥陀佛，我们运气不坏啦！"我才知道到了塘沽，才觉得肚子饿了，因此就连吃了三碗冷饭。听说鬼子没有上船，巴不得立刻启碇开船。但因向例船靠塘沽必需上煤，要到明天微明方能开船，我小心翼翼走上舱面，在夜色笼罩下，码头上静悄悄的，不见一鬼，只有远处灯火点点，我也辨不清是船是屋，一个天津商人低低的告诉我说："这里往常是很讨厌的，听说前几天鬼子在此登陆，在附近给游击队打死了三四百个，游击队牺牲了有二十多人和两挺机关枪，此事《庸报》上没有登出，但天津人知道的很多，今晚大概又吓住不敢出来了。”这话确有来历，我没有逃出马厩的时候，在南开大学附近，曾经听人说过，大约是在九月十日发生的。那时华北倭寇，公然宣传，有大批来华援军将从塘沽登陆。这是一件从来少见的事，因为鬼子增援，向守秘密，那次公开事先宣传，用意在向我华北同胞恫吓，借此对我游击队大大示威。哪知在第一天登陆不久，就被我们忠勇的游击健儿，先来了个下马威，鬼子那天大挫锐气，后来登陆倭兵，都是偷偷摸摸上岸的，鬼子色厉内荏，像这一类的事，书不胜书。

37　烟台亲善风景线

这是我睡得最舒适的一夜，次日早起，睡在我铺旁的小广东告我，他说，夜间见我睡熟后不时微笑。此船以装货为主，乘客并不拥挤，我细细观察同船乘客，并没有发现奇怪人物，只有两个白俄，有些鬼鬼祟祟。华北事变以前，天津的鬼子特务机关中，白俄是负有一部重要任务，对于为鬼作伥的白俄，我在上海时，就很注意这一类消息，我看到这两个可怪的白俄，我偏要不时走上去和他们兜搭。在船到烟台的一天，一个自称勃洛可夫的老家伙，已经被我缠熟。我曾老实不客气喝去他两瓶啤酒。船抵烟台，下船客人只有两个，而上船到船上去的乘客，却上来有二十多人，我想问问在烟台的鬼子们情形，想到人心隔肚皮，只得谨慎的听取山东籍乘客们相互间的谈话，综合几个由烟台上来的乘客所说，知道山东蓬莱还在我们手里，但因鬼子飞机曾去轰炸多次，县城房屋毁了一半。烟台附近十五华里，在游击队的火网下，八九两日内，鬼子死伤有六七百人。烟台伪组织负责人尽是鬼子，“宣抚班”张挂的“中日满敦睦”巨幅标语，说明鬼子没有办法，只有终日变换花样，借以骗人。但是山东人中，除去老贼马良以外，个个都已醒觉，认为惟有伸出巨灵铁手，一致和鬼子拼命，才能挽救中华民族的劫运。据一位烟台商人告我，去年七月中旬，有十几个日本议员跑来烟台观光，要拍摄几页“亲善”风景，带回日本宣传，但因山东人只懂斗争，不懂“亲善”，找不着好的题材，那批鬼议员，很为扫兴，后来鬼子却有鬼主意，不知从哪里找来的几十个乞丐，组织一个欢迎亲善使节大会，由鬼子们拿出些花花绿绿抢来的衣服，一个一个给那些乞丐穿上，并制就几面什么“中日亲善”、“中日敦睦”旗子，给乞丐们抓在手里，马马虎虎拍了几张亲善风景线，鬼子们心劳日拙，到处都可给我们看得出。

38 凄风苦雨过青岛

海行三日，在惊涛骇浪中，平平安安过了塘沽，过了烟台。九月二十五日早晨，准备在青岛下船的乘客，听说中午可抵青岛，喜惧交并，喜的是故里在望，马上即可与家人会见。怕的是那青岛上船检查的鬼子，任意留难，稍一不慎就有生命危险。至于全船经过青岛的乘客，大家皆愁容满面，茶饭不思，站在舱面，望着青岛出神。身畔带有巨额法币的客人听说青岛鬼子上船检查行李时，看见法币，不管三七二十一，抢了就走，更为惊慌。我看着全船的人，慌做一团，心中有说不出的难过，国家还没有亡，可是一跤跌进敌人的手里，即刻就尝到如此的亡国滋味，好不伤心，我已无暇为自己顾虑。上午十一点三十分，船泊青岛，候了有二十分钟光景，看见远远有一只小轮，插着一面贴有红膏药的旗子，驶近大船。这时全船的人，都从舱中走出，在凄风苦雨中，齐集船头，听候青岛海关的鬼医验疫。在青岛上岸的，检疫手续，更其苛严。其实，它并不在验疫，鬼医的主要工作，只是在你脸上打量，鉴貌辨色，窥察乘客是何人物。过青岛和下青岛的人，分集两处，四人一行，排列船头，我拣那有身躯比我高大的一行插进，站到那一行中的第三个位置，一会，鬼医、鬼宪，鱼贯走来，鬼医四人，轮回巡视一匝，又转身站上餐楼的扶梯，再居高临下，仔细观察，看到认为可疑分子，立时指点鬼宪，唤出盘诘。这时在餐楼大餐房中的玻璃窗上，突然发现两个鬼脸，遮遮掩掩的在暗中侦察。我看到那两副鬼脸恐怕还有猎狗在那边潜伏，不再向那面看去。半小时后，鬼医、鬼宪工作完毕，那窗中的两副鬼脸，一霎眼间，又悄然出现到大餐房外，这是两个便衣侦探，穿着很讲究的西装，各戴有色眼镜一副，那样子很像日本绅士。我看着那两只猎狗，越走越近，一个已除了眼镜，一双锋利的狗眼，一行一行的扫射过来，看到我站的一行，我瞧着他要向我扫射，我是满不在乎的，和在我左侧一行站着的，那个自称勃洛可夫的白俄，大开玩笑，那白俄踢我一脚，我也还他一脚，那猎狗只看了我一眼。检查的结果就此上岸的；我不知道他的命运如何。同我一样经过青岛的，我眼看有俩人被鬼宪抓走。乘客被鬼宪拿去的法币，共计不下两千块，鬼子满载而去，船上乘客立刻又换了一副面容，有两位回四川的女客，被鬼子抢去两百五十元不算，还顺手带去一只手表，一件绒线女衫，伏在铺上嘤嘤啜泣。另外，在我隔房一位江苏同乡，只带着一百七十元钱要走往广东，寻他妇人，如果不在广东，还要再往四川访寻。万里寻妻，而所带的旅费，是千辛万苦借来的，今俱被鬼子拿去一半，但他预期的迢迢长途，绝不能只走一半，就此罢休，所以他就哭得更惨。大概伉俪情深，他是带哭带嚷，喊出他的那女人的名字尽哭，我本想走过去劝劝他，哪知这个哭病也会传染的，我看着全船的人，至少有一半都在拭泪，我怎样哩，我是“曾向天涯怀此恨，见君呜咽更凄凉”，后来，我也呜咽了。

39　重见上海

二十五日下午三点，船离青岛。我在风雨交作中，走上舱面，我想起一个倭通译笹沼曾经向我说过日本人在青岛俘虏德国人的故事。他记得那时日本人共计捉去两百多个德国人（此数不正确），都带到日本去，五年以后才放回的。德国人不能忘情青岛，日本人不能忘情青岛，中国人更是永远不能忘记青岛。我伏在船舷上，痴痴地指着青岛，向它致告别词："青岛，青岛，你是我们的青岛！"九月二十六日这天，因为次日早晨即可到达上海，加之在船员口中，所传来得自无线电中的消息：听说，我们前方打得很好，全船的中国乘客脸上都有笑容，船过了青岛以后，我是显然比别人更加快乐，我再不整天伏在那棺材盖似的狭床上了，一会走上船头凭栏远眺，一会走向客群中，听取新闻。觉得无聊的时候，就走进货舱，拿起那一本在香港出版的《小寡妇日记》和几位广东籍的船员说笑，这是一本荒唐不堪的混账日记，我以说笑的口气，婉劝那几位血气方刚、年轻有为的朋友。劝他们不要再看这一类书，他们却振振有词，不以为然。理由是他们在船上的生活，寂寞得简直像个和尚。况且往来青岛、天津这些码头，根本不能看开卷有益的书，看这一类的书，日本鬼子是最赞成的，所以船到天津，像这一类的书籍，就不必藏起，船到上海，就要很谨慎地把它收藏到货舱底下去了。二十七日清晨七点，上海在望，一个小广东诚惶诚恐的找《小寡妇日记》。我暗暗好笑，他们做梦不会想到，我将他们的《小寡妇日记》，早已偷偷地送给了小龙王。轮船驶进吴淞，经过蕴藻滨，看到永安纱厂成了一片废墟；船过杨树浦，看到那些日本工厂，正在大兴土木。两两对照，每个在船上的中国人看了，没有一个不咬牙切齿，怒形于色。八点三十分钟，船泊金利源码头，全船乘客很便利的离船登岸，不过在登岸以后，要到南市和闸北的人，因为没有拍照和没有通行证，无论如何走不进去；劫后的上海，当百余万的难民离开上海不久，接着又从京沪、京杭两路沿线逃来了百余万难民，因此租界中旅馆大小都住得满满的，食物的价格，比战前增加一半至一倍，我看来看去，只有穿的一项，比较还容易解决。许多人以为上海还是歌舞升平。以为上海人已经忘记痛苦，在那里尽情欢乐，恣意享受。但真实状况，并不尽然。那里新逃去一百余万难民，大多曾饱尝日本鬼子的毒手，抗战情绪，似乎比较安居后方的人，激昂得多。即以输财救国一事而论，从报纸也可看出他们的热心。在租界中出版的华文《大美早报》、《文汇报》、《导报》、《循环报》各报，每家每日至少要销三万至四万份，《新闻报》在没有移交太平洋公司以前，已经硬得使人渐渐满意，从十月一日起的《新闻报》，它给予上海市民的精神食粮，更加充实，更其有力。汉奸看了不住发抖，鬼子看了当然面无人色。

40　一路福星到贵阳

我于九月二十七日到达上海，那时归心似箭，恨不能立刻飞往汉口。但是因在天津筹措的路费，完全用光，打听由上海至香港的船票价目最少为法币十六元，另外还须准备三十元放在身边，到了香港方许登岸。所以我到了上海第一件事就是借路费。为了急于南回，仅仅预备了一点到香港的用费。本来二十九日那天，有船驶港，无巧不巧，偏偏碰着捷克问题爆发，关系国家，大家剑拔弩张，好像就要打了。好容易等到十月二日，欧洲局势和缓，几只外国商轮，才能确定船期，按班开出。我买的是一只泽生轮船的船票，十月三日由上海开船，七日中午抵达香港，按照港例，须要停泊二十四小时后，方许乘客上岸。这虽是一种虐政，可是谁也无法反抗，只好耐着性子等。到了八日中午，报道医生上船看病，一位医生走马看花兜了一转，点着头走下汽轮打道回衙，乘客感谢医生如此体恤。在香港登岸的第一天，并没有下雨，我偏偏穿上一双胶皮套鞋。我在天津买的一双布底鞋子，给汕头码头上的小偷儿悄悄拿去，一顶呢帽也送给了汕头的小偷，而且我还是亲眼看他们拿走的。汕头的“犇”和香港的“犇”，名驰海内外，我久想实地测验一下，这次算给了我一个很好机会，在香港勾留两天，“双十节”跳上广九火车直奔广州。到了广州，便患疟疾，我在大发寒热的一天，敌人从大鹏湾登陆了。记得在十月十四那天，我还写了两篇《南海怒吼》、《跃起大广东》寄往汉口，稿子尚在中途，胡骑竟踏进了广州。十月二十三日我从广州退到广州湾，看见《南路日报》刊出广州失陷消息，我重重打了自己五记手心，教它痛定思痛，下次才不滥写《怒吼》，我从广州湾重返香港，本想走回江浙的沦陷区内，相机发动笔杆工作，但一思及在津、青、沪、港的苦状，鬼子在沦陷区内的残暴行为，决不会对我轻易放过，何况我是《封神榜》上的名客，更容易使鬼子处处注意。在鬼子的后方，要想发动笔杆工作，既多困难，为避免此身不再重入虎口，决定到港、徐图良策。我于重返香港之后，听到本报已迁筑复刊，得到金城夫先生援助，遂于十一月一日取道广州湾，由粤来黔，十一月十一日安抵贵阳。我是一路福星到了慈母的怀抱，我宁愿臂断骨折的在后方活着，不愿再见鬼子的残忍和狞笑！

在板垣俘虏营里（别记）

1　“良善”的代价

我在时村被俘的当夜，给予我最大帮助的，是一个炊事兵。他对我特别表示好感，后来细细思索，才想起在黑夜中摸去我袋子里法币的，就是这个小胡子。当夜有许多鬼子跑来问我：“你丢了什么没有？有人拿了你的钱么？”我只摇摇头颈不答。小胡子看在眼里，常常走来对我表示一点“善”意，大概他心里有些过意不去，所以第二天他报告鬼子队长时，加上了一句“此人良善”的评语，而“良善”二字的代价，记清是钢笔一支，法币四十元。

沦陷后的时村，遍地都是死人、死马、死猪、死骡。一个山东籍的通译偷偷地告诉我，他说已经请求数次，鬼子不许掩埋。那时气候渐暖，到处臭气四播，中人欲呕。临时俘虏抑留所设在一个小庙内，庙后小屋两间，住有五十多岁老尼一人。在鬼子进占时村的当夜，赤裸裸的死在屋里，死后三天，蛆虫从小屋内爬到天井地上。看守俘虏的鬼子看着蛆虫要爬进他们的屋内，才喊来几人将那可怜的老尼抬出门外，草草埋掉。但是不到两天，那已经入土的老尼一条大腿，突然又被恶犬从土内拖出，重复衔进了她生前所住的屋子。这事哄传出去，传到林田耳内，才下令扫除尸体，不分人畜一概深埋。而死尸虽埋，虎疫已勃然而兴，我们这些俘虏在时村虽没有病死几个，可是鬼子染疫而死的，每天总有十几名。我们不能当面诅咒鬼子早早死掉，于今看着他们一个一个大泻特泻寿终正寝，我们暗暗念佛。

2　皇军慰安所

奸淫、掳掠是鬼子的拿手好戏，我在时村的时候，亲眼看到鬼子大发兽性。那天四个鬼子正带着我搬出庙外，走到街南，看见三个凶恶的鬼兵挟着一个约莫十八九岁的女子，迎面走来，那女子披头散发，吓得面无人色，边走边号。距离二丈远的后面，一个老人跌跌跄跄，追着喊着："我只有这个小女，我只有这个小女，她没有妈了，好苦啊！好苦啊！"那样子我只有在京剧中见过，现在亲眼见到这种事实，周身血都沸了。我立定回头尽看，恨得将指甲掐进了掌心。那时我真枉为了一个大中华的男儿，亲眼看着自己的姊妹给敌人蹂躏。当晚林田倭队长下令整顿军纪，第一条为无事不许进入土民家屋。然而鬼子们为了找寻花姑娘，他们向来就认为这是正经大事，对于这种骗骗中国人的官样文章，相应不理，照旧奸淫，照旧掳掠，这是皇军的第五师团，“最文明的皇军”。

据鬼子的通译谈：他们的随营军妓供不应求，加之药品缺乏，鬼兵害了花柳病，没有办法，只好放任他们蹂躏中国良家妇女。但在沦陷区的每个城市，或者大镇，都有慰安所的设置，鲜籍军妓的价格，快快的两元，慢慢的五元。而由日本国内出来随营的价值则较贵，慰安所的价值最廉，大概为一元、二元两种。据说各地慰安所内，常有汉奸们的妻女亲戚发现，那是汉奸互相倾轧，你拉出我的老婆，我就推荐你的姊妹亲戚，以为报复。闹到鬼子面前，鬼子判断也非常公允。于是就叫一概留下，这样就叫做“以身作则”，弄得那班狗东西哭笑不得，这真是当汉奸的眼前报。

3 勤劳奉仕

在徐州的敌军俘虏抑留所内，最初共有七百二十余人，地点在九里山脚中国兵营。那里原先是胡宗南将军练兵的兵营，地方很大，有二三百间平房，鬼子们用很粗的铁丝将房子的四面密密圈紧，活像一个鸟笼。

俘虏抑留所这个名字以外，还有一个名称，叫做交战抑番收留所。名称换了几次，他的组织是：一个所长，一个副官，二个书记，看守的卫兵时常更调，最多一次有两百人，最少为七八十人。最初组织这个抑留所的人，是板垣派来的，直属板垣指挥，后来移交北支派遣军管理。六月中旬，板垣回国以前，曾到所内参观一次，耀武扬威，不可一世。可是他很怕死，他不敢见大队俘虏，汽车匆匆开进，又匆匆开出。这天大家骂得最凶，这样骂：“狗国的鬼子，你这绝子、绝孙、绝女婿的鬼子，你害得老子们好苦，老子们到死也不忘记你这老狗 × 的。”骂得鬼子们莫明其妙，走来哇哇哇哇哇哇乱嚷一阵。从六月十一日起，鬼子压迫大家做工，这时鬼子在九里山下修筑新飞机场，拉来数百民工，同时在抑留所内也挑去三百多人，每天强迫着去敲石块，民众与俘虏混在一起，老百姓每天带些咸菜、辣子给俘虏，同时俘虏就偷偷地将城里鬼子的实力告诉老百姓，叫他们送信给游击队。鬼子限制俘虏不许与老百姓讲话，但是千多人混在一起，他也没有法子。

鬼子们常常走来俘虏营里宣传，他们这样捣鬼：“我们日本人圣战，为了东亚和平，大大辛苦，现在日本国里，个个多在勤劳，大学生要勤劳奉仕、银行家要勤劳奉仕、你们也要勤劳奉仕，从此你的好好做工，心要好好，不要勾通游击队呀。”他罚俘虏们做苦工，不给工资，就拿勤劳奉仕这一套鬼话来骗人，而又生怕内外勾通，将鬼子们的情形泄露给游击队。其实已经泄漏多时，鬼子们心劳日拙，我们听了好生可笑。

在七月底时候，我也出去抬了两次石头，目的是想逃。那天有一个卖菜的农民，挑了一担菜蔬走过抑留所前，被鬼子们喊住抢得净光。那农民样子很苦，眼泪和鼻涕交流，一边走着，一边低低骂着：“妈的，看你凶到什么时候，中央军马上来了，杀尽你们的鬼头。”

4 聪明的日本宪兵

日本宪兵在“九一八”以前，确是有一点的道理，可是自从“九一八”以后，日本大队宪兵源源开来我们的东北和华北，帮助他们的军阀压迫中国良民，助长日、鲜浪人罪恶，贩毒走私，无所不为：欺诈我国良民，残害我们的同胞，久而久之，将整个日本宪兵的风纪完全败坏。有许许多多外国朋友说，日本宪兵的堕落，这正说明日本军人没有了灵魂。

大战以前，日本宪兵在中国各地飞扬跋扈的狂态，我也看见不少。这班狗东西自作聪明，自命不凡，到处残害我们的同胞，仅仅自作聪明四个字，不知害死了我们多少中国人。

这次我被俘以后，第一次鬼子押送我往双沟，车子先到徐州，原由第五师团办事处将我暂交宪兵看管。那时鬼子在徐州的宪兵，驻一家照相馆内，地点在我们的司令长官部附近。我在大雨如注下，跟着三个鬼兵，走到那里。鬼兵前往说明原委，即刻走出两个鬼宪官佐，歪戴军帽，酒臭触鼻，走近我的身旁，向我打量，一会摸摸我的袋子，一会摸摸我的上衣边沿，那样子很像要找几个钱用。无奈我的财产，早经抄得一干二净，哪里还有他的份儿。那两个家伙失望之余，竟掉头不顾，走进屋里，不理我们。就连押送我的三个鬼兵，也非常气愤，但因他们界限分得很清，只好忍气吞声将我押回，重行送我进了铜山县的监牢。

日本宪兵吃的较好，穿的较好，他们拣了几个较好的营妓留在屋里吃酒取乐。我们走出那照相馆的门外，还隐隐地听到那几个营妓在唱日本情歌，一个押送我的鬼兵，走得最累，他走出那里就骂，一直骂到铜山监牢。

第二天会见日本宪兵，我已住进俘虏营里。一天早晨突然来了一个日本宪兵班长，提我出外问话。他要填表，年岁、籍贯、职业，本有底册可查，本来不须多问，他也要盘问一番。这也罢了，而为了要填一个军属，我以社属报之。

我是《武汉日报》社派出的，当然只有社属，但他偏要我填军属，他要根本推翻我的供词。他硬说我是战地记者，依照日本战地记者规矩，他们从哪一个师团工作，即填报那一个师团的番号，他以为中国也是这样，我偏不承认与军队有关，他偏要我说，相持不下，结果他用刑了。

我倔强一次，他打我一棍，头顶给他打开，手背被他打肿，我终于昂首挺立，偏不承认。后来我被他打急，血流满面，我跳起来拿手指住胸口，教他把我枪毙，这样一挺，他才罢手。

这是我第一次遭遇鬼子宪兵的毒手，还是那时在徐州最凶最狡诈的一个鬼宪。日本宪兵将我毒打，有几个日本兵看了也愤愤不平，当鬼宪对我用刑时，数百难友站在铁丝网里，千余只眼光像箭镞似的，瞅住那鬼子宪兵一瞬不停。

有几位与我感情最好的，偷偷地在拂拭眼泪。这天晚上吃夜饭时，难友走过我的面前，个个向我行礼，我感动得不能说话。夜间心口疼痛，咯血数口，天将明时方才睡着，梦中见我母亲向我垂泪，并走近抚摸我的创口，我放声大哭。同住一屋之 × × 少校为我惊醒，亦挥泪不止，次日我即病倒。

5　鹤大尉

鬼子见我病了，报告所长，这是第一任的俘虏抑留所长，和板垣有点关系。这人阴险狠毒，俘虏已经被他杀掉不少，他听说我被宪兵打伤，猫哭老鼠，走来摸摸我的额头，看看我的伤口，装得非常亲切关心。可是他一脚才走出门外，就连连咒我早死，连连说了两声：“快快死了，快快死了！”

一会走来一个医生，高高个子，瘦瘦身材，那样的长人，中国也很少，不像日本人养的。据他自称他是自动走来替我看病的，因为这时日本军队中医、药两缺，谈不到再为俘虏看病，他因我是一个新闻记者，怕我受不了这么的苦，不顾上级的谴责，跑来为我诊病敷药，而且还加二优待，为我打了一针葡萄糖。敷药、打针以后，我们相对闲谈，我睡在铺上，他找来一张小椅子，坐在我的面前，他坐下来还比日本人高过半个头，这是日本的唯一长人。他是大尉军医，长得像只仙鹤，认识很多中国留学日本的医生，他认为中国人很好，很懂义气，就是有些不顾信用。我说：“你们日本人信用很好，就是惯会说谎。”他听了噗嗤一笑。

他自称理解中国，健谈，善笑，他从西安事变谈起说到卢沟事变，滔滔不绝。过后还提出几个问题，教我表示意见，我约略记得他这样问我：一、先日西安事件中国知识阶级当时认识如何？二、卢沟桥事起中国知识阶级当时认识如何？三、今日中国知识阶级对日理解否？我只听不答，哎唷，哎唷，呼痛不止。他好生发急，掏出纸笔，连写几个“我非密侦”、“君勿心记”。要求我给他一个明白的答复，我始终给他个不理，从此他看见我的影子，就频频摇头。

鹤大尉离了徐州，新来的医生，是东京一家酱坊的老板，他以看护兵的资格，代替医生工作。你随便生什么毛病，他都教你吃点阿司匹林。他也会打针，十次之中，至少有五次会将针头打断。打得鬼子们哇呀，哇呀，叫个不住。这是惊人的手术，最妙的是他也懂得侦探学，不时走来我的屋里，徘徊，注视，看蹊跷。

6 别侮辱畜牲

日本人早就失去人性，而且失去兽性，不如畜牲。骂他一声畜牲，那就是对于畜牲们的一种极大侮辱。我现在介绍一个不如畜牲的“小畜死”，名字叫做阿部三五郎，这是一个日本工兵。在我屋里有一位 ×× 少校，他是在时村附近被俘的，他身边藏了一点钱，未被抄光，后来给鬼子们知道了，你也想来骗几元，他也想来骗几元。他们知道坐牢的人闲得无聊，最欢喜吸香烟，就买了许多几分钱一包的香烟，拿来骗钱。最少要卖三毛一包，而阿部三五郎良心最坏，他专门碰卖香烟，每包硬索二元，洋火每小盒硬索五角。俘虏不许藏洋火，你假使向他买了洋火，他晚上悄悄报告所长，一经鬼子出来查抄，查出以后，一律充公不算，还要大打屁股，罚你挑粪。

这种软骗，硬索，外加处罚，不上几天，就将全所难友的藏款完全骗光，就中以阿部三五郎这“畜死”最坏，他骗钱、抢钱还要打人。

日本的“畜死”真多，他们什么都要。难友们的皮裤带都被他们用很巧妙的方法骗去，我的一根系腰的皮带，也被他们骗去。我大骂大吵一顿，那“畜死”才另找来一根步枪上面的皮带，拿来交换。我不答应，那“畜死”又拿给我四包香烟，涎着脸向我求恕，这才罢休。这就叫行大欺客、客大欺行，这根皮带我现在还将它保存在贵阳，这是我的一件胜利品。他们知道我不好惹，相约不来欺我，然而我要欺他了，我常常骂他们小乌龟、东洋甲鱼、小王八、东洋狗子养的，他们以为我在唱歌，他们就摇头摆尾唱起来，我顾而大乐。

7　看俘虏的艺术

自从进了徐州的俘虏营，每天都有大批鬼子来此参观。军官、兵士、政客、浪人，什么东西都有，他们像看戏似的跑来看人。他们看法各有不同，军官会搭他们的臭架子，有的模仿西洋人的派头，仰首、闭目、两肩高耸，吹吹牛皮，然后口衔香烟，假意叹口气搭讪走开。有的自作聪明，掏出香烟，分送难友，然后问长问短，想骗出几句话来，拿去炫耀。鬼兵的看法最小气，他们先问，你的月给多少？你的媳妇几个，或者老婆几个？照片有吗？给我看看好吗？政客、浪人最混账，顶调皮，难友们有些不知此中利害的，常常就要上他们的当，后来我想出几个法子，才将这班东西摈诸门外，而鬼官、鬼兵实在没有法子可以拒绝，不过你假使一百个给他不理，或者装病，他们最怕传染病症，你就假意留他坐坐，他也来不及的要逃了出去，现在想起也还好笑。

每次鬼官、鬼兵走来看我，我特别注意他们的领章、肩章，来辨别他们的兵种多寡，也有很机警的卫兵当场问我：你知道他们是什么兵？比方，原来红领章为步兵，蓝的骑兵，黄的工兵，我就故意说错，装作不知，有时他们问到与他们本身不利的事情，那时如有卫兵或是值日班长在旁，我就装聋作痴，故意缠夹，暗暗警戒；总之，有备无患，然而我的头发、眉毛，因此也就白得可爱，白得太可爱了。

敌军中有很多的反战分子，跟着铁军的兽蹄在向前飞跃，他们曾经在徐州帮助我，安慰我，而且在敌人的空军中也有反战分子，他们送给我一条手绢，上面写了一行字："安心，吾等即起矣。"他来看我两次，第三次被卫兵干涉，他大骂卫兵，几乎弄出事来。

8　空虚与矛盾

拿空虚与矛盾来形容日本人，真是的评。我自被俘以后，见到许多日本将、校，大多狂妄自大，野蛮粗暴，简直找不出他们一点优点；但是他们却个个都会吹牛，而且都是预言家，记得在板垣师团部内，有一个古川鬼参谋，他判断战局，认为一到七月末坎，准可攻进我们的武汉，可是，到了八月末坎、九月末坎，武汉依然还在我们手上。

在徐州俘虏营里，我所见到的鬼子，他们也是这样瞎吹。曾经到过四川一次的一个鬼大佐，他自吹是一个中国通，他说一旦武汉沦陷，支那人民“奥地遁入”，一般官吏商民，不但对于一切物质困难不能忍受，而因食粮供应不继，不需一月，即将饿死。其人且著文交日本报纸鼓吹，且历举数字，说得活灵活现，哪知武汉弃守以后，中国人民进入内地，什么也没有感觉困难，到处可以吃米、吃肉，在重庆而且可以照常吃西菜，穿绸着缎，在贵阳也能过很舒服的生活，即在贵州各县，虽在向来很苦的地方，依然保持战前常态，初未发现任何困难事实，足以动摇我们抗战必胜信念，最令鬼子诧异不置者，即抗战至今，中国未尝因失地而饿死一人。

日本鬼子到死也是矛盾的，敌军内部之矛盾，到处可见，有些军人主张优待俘虏，但是，同时也必有人起而主张虐待俘虏，甚至主张抓到就杀，以免后患。有些军人主张不要滥杀中国良民，甚至公然宣称汉民族是最容易统治的，想使用怀柔手腕，麻醉中国民众，然而同时也有人起而反对，认为对付支那人，手段越辣越好，他们认为中国人口太多，杀掉一些，没有关系。凡此种种，不胜枚举，在敌军中每一部专门，至少必隐伏两种绝对不能相容之主张，终日斗争，即以我在徐州俘虏抑留所研究而言，七个卫兵班长分了两派，动辄为处理中国俘虏事件，发生争执，甚至挥拳。

9　所谓知日派

在徐州俘虏抑留所内，为了想骗取日本各地报纸看看，绞尽脑汁，使尽心机，方才到手。最初我们专门拾取鬼子包裹物件的报纸，凑集观看，正式看到日本飞机带来的报纸，还曾使用了一点小小的苦肉计。

在九江沦陷不久，日本报上满载什么：“敌前登陆，我××××挥青龙刀××××我陆上鹫天空银翼连，追击××大爆击，对敌多大损害与”。此类新闻连载数日，大吹特吹，他们看着唱着，我看到鬼子们那样的狂态，恨不能抢一个手榴弹，将他们完全炸死。后来我因远远看那报纸，不甚清楚，就假装麻木，遥指“九江”那两个大字，连呼“快快的了，快快的了，开路，开路。”说过不算，还踏着跳舞的步伐，来了个旋风舞，鬼子以为我看了快活，不会有什么反应，于是才正式给我日本书报，可是，反对给我看报的，却大有鬼在，但是在七个鬼班长中，内中有四个愿意给我，那三个也只好闷在肚里作怪了。

日本人是世界上最会说谎的民族，各种日本报纸，以及伪组织下的奸报，每天登出消息，一大半都是假的，电讯、新闻，多是谎，他们既食皇禄，必报皇恩，于是制造各种中国人的谈话，出卖风云雷雨，伪组织的狗子们，每天有话可谈，而且千篇一律，用刻板的公式，赞美“皇军”，有时还博采“民意”，发表什么张阿三、刘阿五一类莫名其妙的谈话，看了自然教你作呕。

在日本报上发现的“重庆电”，妖言惑众，烟幕重重，不必细举，最恶毒的记载，就是什么“知日派”一类挑拨离间的谰言。徐州沦陷以后，日本军部以“知日派”之荣衔，轻轻的摆到汪精卫的头上，以后每隔四五日，必有一篇关于“知日派”新闻发表，那时我看了这样的记述，非常纳闷，我以为日本鬼子又在造谣，其实，日本人就是勾死鬼，他们将汪精卫勾进了坟墓。鬼子最会翻花样，他在亲日派以外，又翻出一个“知日派”的名词，所谓“知日派”者，简言之，即理解日本，知道日本之先知先觉也，我今为“知日派”下一注脚，其人只能知日，不能知己，根本就不配言和，一个废物投降日本，无碍抗战；汪精卫不知王克敏、王揖唐、缪斌、陈群等一群汉奸真实情况，冒冒失失去做汉奸，欲求寿终正寝，不可得矣，可胜慨哉！

到了天津以后，只有汉奸报纸的《庸报》记者这样对我说过：“惟有汪精卫这人，才真聪明。”后来日本将领衡量中国抗战人物，我只听到他们一致对于我们的领袖表示敬畏，谈到汪精卫三字，他们冷笑。日本军人这次来到中国各地，到处搜求中国古书，他们很精细的研究中国历史，对于卑鄙龌龊的汉奸，时时刻刻，放心不下，汪精卫这样干去，真是自讨苦吃，当初黄盖虽然吃打屁股，结果还赚了汉贼，立了大功，汪精卫于今是自打屁股，甘为汉奸，要吃大苦了。

10　卿本佳人

前文《倭营历险记》我曾略言天津《庸报》之丑态，兹再补记我所见该报外勤记者余某之漂亮。我到天津之第三日，《庸报》之日籍社长池上，及外勤余某，取得天津倭司令之许可证，走来海光寺后看我。池上是个胖子，不像日本人养的，也许他妈是日本人，其人既胖且白，说得流利的华语；那个姓余的，像个唱小旦的姑娘，面孔长得怪清秀的，两只手伸出来，雪白粉嫩，煞是好看，这样漂亮的小伙子，想不到他偏生爱做汉奸。

那时我刚由南开大学回来，泥土满身，满嘴刺猬，怪模怪样，他们先去访问 ×× 少校，然后再来见我。他们问我南边情形，我说南方天气很暖，不像北方寒冷。他们问我战地党政现状，我就答以战地买卖不好，京戏、影戏，不及战前好看，不待他们继续发问，我又反问他们，天津有几家舞场，一元能跳几跳？金少山大概没有请客，你们骂他了；你们真舒服，闰七月里，你们可以吃胜芳大螃蟹了！哈哈，哈哈，笑个不住，那姓余的见我这样，他恼我了，柳眉倒竖，杏眼圆睁，娇声娇气地向我说："你别装糊涂，我们可以帮你忙的，你就一字不说，我也能写你一篇，你瞧。"他们很不开心，愤愤而去，第二天一早起来，先找《庸报》，翻开一看，一字没有，第三天登了短短的几行，他还算有良心，没有怎样诬蔑我，然而也就可恼。

我脱险的第二天晚上，在天津法租界黎栈大街，和他们迎面碰到，那时我已剃须易装，为了小心一点，很谨慎的避过了他们，九月二十七日，我安安全全到了上海，想到这个漂亮孩子，写了一封信寄给他，里面写了"卿本佳人"寥寥四字。

11　动荡的日本

自从张鼓峰事件发生，日本全国震动。这时我在徐州，一个东京 ×× 银行出身被迫来华的青年告我，他说：再打下去，日本钱也打光，人也打光，国内必有剧变。他预备永久留在中国。我们两人画地密谈，以沙泥为纸，以碎石为笔，随写随涂，一点痕迹不留，我从这位青年口中知道了：

日本在战时有十四个粮秣厂，原来储量很富，那时已经耗去过半，在大战发生之时，军需管理人员发现最大渎职案件，据说舞弊达七百万日元，牵涉官吏一百余人。

关于棉丝统制，日本国内各地，那时正在严厉执行，但在七月一月内，东京棉丝商人违背棉丝统制案件，竟发生五十余起，倭政府乃判处各棉商缴纳巨额罚金，众怨沸腾，人绢业亦有同样事件，不断发生。

日本国内所储白米，大为减少，酿酒之顶上白米，那时已由每石三十五元，涨至五十余元。同时由厚生省下令提倡节食用糙米，战地所需食米，一律以对成小麦混合煮食，但因出征军人纷纷反对，此项改革办法，现已无法推行，只好任其自然。

日本国民精神一落千丈，官吏贪欲大炽，来华官吏莫不舞弊弄钱；同时，一般政客竞奔军阀门下，倚赖武力，在伪临时政府、伪维新政府下，各树派别，培植势力，自板垣回国就任陆相，此风更盛。

日苏战争如果不能避免，日本前途之危险，诚不堪设想，多数日人，对于中日战争，咸抱悲观。在徐州沦陷次日，东京各处举行庆祝，多数商店之玻璃门窗，为反战分子击破，日本之未亡人与日俱增，此中知识分子居多，对于日本军阀，愤恨已极，常于夜间至街头巷尾，粘贴反战传单。

12 谭道源之谜

鬼子们的趣事很多，在一次战争告一段落以后，兵荒马乱，双方遗弃物件，均不能免。假使我们转移阵地，一时遗留用物，落到鬼子手内，常常张冠李戴，弄出笑话。

当我最初在安徽宿县时村镇被俘后二三日，盛传某某亦在徐州被俘，某某已于某地被害，当时我听了心内非常难过，哪知再过两三日后，一经查明，才知都是假的。或者因为被害之人身藏友人名片，因以误认，或者其人所携文件原非己有，而鬼子一时不察，即遽以为是，大发消息，甚至广播。我以为在战事紧张之际，军中携带物件，如非必要，愈少愈好，至于重要文件，亦须以最机敏之方法，随时处理。有必要保存的，慎重保存，无保存之必要的，宜随时烧毁为佳。私人信件，亦应如此，总宜片纸只字不使落到鬼子手里为上上策。

在我初次会见板垣的一天，据他的卫兵说，曾经杀害我们军长一人，惟不知其名，见了板垣以后，一个古川参谋写出“谭道源”三字问我：“你知道这个人么？”当时我愣了一愣，即刻推说不知，不过我心中很为惦念，六月五日在徐州中学倭司令部前，又听到这样的消息，一个倭副官说得神气活现，我竟信以为真，不觉潸然泪下。后来看到东京《朝日新闻》，披露大王集作战经过，怎样在麦田中发现谭军长汽车，怎样集中火力攻击汽车，怎样遇害，殿尾，一个倭联队长为表示崇敬中国将、校作战英勇起见，请求准予由彼备费厚殓，似乎此事千真万确。等到我由天津脱险回来，首先调查此事，始知纯属谣传，现在谭已就任湖南省政府委员，鬼子专说鬼话，其滑稽有如此者。

13　倭营拾零

鬼子在集队行军时，携带最简，我从来没有看见他们携带什么如箱子等类笨重物件，炊事所带用具更少。

寇军中之食品配给，自去年六月后，已大见减少。据一水上辎重队鬼兵告我，寇军各师、团待遇，亦极不平，那时在鲁南作战，以板垣及矶谷两部所得食物及慰劳品最多。

有多数鬼兵不敢吃中国豆腐，因在山东某县上当一次，泻死三十余人，以后即改食由日本装来之冻豆腐，其多疑怕死，可见一斑。

鬼子杀鸡法甚特别，先将鸡头斩断，然后连皮带毛整个剥去。抢来的鸡不花钱，常时一锅煮鸡十余只，捉鸡的样子更特别，有时追捕一鸡，动员十余鬼，鸡飞，鬼追，往往追至三四华里以外依然空手归来。

寇军待遇俘虏最毒，时常不给食物，即使有所规定，管粮米食物者，有时亦故意靳而不予。军中食盐如稍觉缺乏，俘虏乃先淡食，所发菜蔬，只有大葱一种，数百人吃葱汤一锅，如游击队攻至附郊，并此亦无。在徐州抑留所内，我们以喝白开水为常事。

现在鬼子军官少尉以上，拼命研究汉学，士兵们学习中国话，甚见努力。寇军中之通译，在联队部即称宣抚官，大战初起时，重视东北、河北、山东籍之翻译，现在逐渐淘汰，排挤，已改用鲜、日籍之浪人，各倭军中之通译，及抑留所内之通译，互相嫉视，尝因争向寇官献媚，打架、争吵，此等无耻之徒，不啻畜类。

倭军中每班有一特务兵，每班以十五人为最多，虽云规定每月二十日以发饷，自去年下半年起，亦时有脱期，后方勤务及军邮办理尚好，医院因供不应求，主事者常受训斥。

鬼兵亦时惧我方飞机前往轰炸，随军带有空火油箱，以为发警报之用，在徐州抑留所时，鬼子几次误认敌机为我机，大敲火油箱，张皇失措，钻入地洞，那时我们看在眼里，心中顿觉轻松，于是，饭量大增，越吃越多。

鬼子抢到我们商民的钞票，生怕有伪票夹进，不时取出交俘虏辨认，当伪组织去年宣称中、中、交三行法币为杂票，中农不许流通时，鬼子以为真的不能流通，纷纷将中农钞票取出撕毁，后来看到中农法币照常在各地十足通用，顿足后悔，如丧考妣。

14 鬼子的诡计

我在徐州的时候，曾经图逃几次，一次准备缘椽越入邻室，然后再出邻室落荒而逃，临时实行，恐怕房子碰倒，爬了一半，胆怯而止。

我住的屋内同居了一位 ×× 少校，他身体不好，时时生病，他同意我们两人同逃，可是，逃的方法，各有主张，两人始终不能一致，大家互相埋怨，急得要命。

我准备在大风大雨的午夜，穴墙而逃，但因砖墙特固，挖它不动，后来想出一个破壁穿入邻室的法子，我认为那法子最好，就在响雷下雨的白昼，冒险穴壁，那墙壁是高粱梗子做成，两面敷有泥土，我费去无限气力，才得弄开。白天取来一张桌子，故意将洞口挡住，夜间拉开桌子，悄悄爬出，记清这天是中元节，白天我们两人，流泪眼对流泪眼，大家想到母亲、妻子，料定两人家内，今天也在烧钱化纸，以为我们冥中不时之需，哪知我们至今还未死，还在忍死须臾，想逃出监牢，重上前线，为我们的国家出力。所以这天勇气很够，我们爬出那洞，走进邻室，看看外面很亮，看到对过卫兵所内，灯光照耀，不易走出。大概因为有了响声，对面卫兵拿了电筒，扫射过来，功亏一篑，宣告失败；加之又发现屋外有军用犬悄悄埋伏，鬼子必有诡计，我们就又悄没声儿，再由那洞爬进屋内，连鞋子也来不及脱下，即刻睡倒，假装打呼，咕、咕、咕像拉风箱似的响将起来。

自从这次图逃失败，我们有如被判死刑，终日昏昏沉沉，最大的一件心事，就是要赶快将那墙壁重新塞好，这件事真使我感到十分难办，费尽吃奶的气力，才将那洞草草填塞，可是，不能复恢旧观，墙上石灰挖去了一块，这是一个显著的痕迹，如果被鬼子查出，一刀一个，毫不客气。那天我真急透，绕室徘徊，至再至三，急出一个办法，我先假装大便，将邻室那洞口外面堆起一叠沙泥和碎草，然后再将这面满壁涂上污泥，这样当然看不出了，然而，我还不放心，又在墙上那洞口上面，写上一行“此处小便”以示此洞原为撒尿之用，另外又写上一行“此处不许小便”以为发觉后掩饰准备，现在想起来真是够苦的。

15　都是二十二

徐州一战之后，敌军伤亡惨重，兼因大战之后，虎疫盛行，陇海路东段染疫敌军，死亡相继。据一日本兵告我，一日之中，死亡至三百余名之多，以此各线敌军，都须大量补充，方能支持。在黄河决口后，由津浦南段而来之敌军新兵，彼时我所见者均为四十岁以上之商人，及十五六岁乳臭未干之日本小鬼，而且体格强健者已不多见，彼等见我，每每讳言新兵，我亦只当不知，不加问讯。

此辈新兵一至中国，所见各事都觉新奇，初来时尚能循规蹈矩，数日之后，即为老兵同化，奸淫掳掠，无所不为。彼等几均有眼镜一副，并各藏春宫一套，暇时即互相取出比赛，并送至我卧室内，要我为之一评高下。

我佯为不知，即指画中人为其姊妹，为其母族，彼等亦不深怪，寡廉鲜耻，真与畜类无异。

新来鬼兵见我后，先必互相询问年岁、籍贯、职业，及月给若干。但新兵大多谎报年龄，四十以上之老鬼，则多以三十五岁答，十余岁之小鬼，则一概谎称为二十二岁，且欲盖弥彰，盛夸日兵均为二十一岁以上之适龄壮丁。惟小鬼初至中国，经验甚少，往往自露尾巴，我因新兵口气不老，可以在其口中，探知一二，即故意对其表示亲切，并不时寻其开心，指其面而数之曰："你的父亲二十二，你的媳妇二十二，你的小孩二十二，你的统统二十二。"

16　三大愿望

小鬼多喜觅我闲谈，老鬼恐彼等年轻，小嘴巴没遮拦，泄漏机密，每每阻挠。故我与小鬼谈话，亦深存戒心，以保有常时谈话之机会，因此，谈话偏重生活，不谈其他，但遇有机会，亦不放松。

我尝以人生愿望询小鬼，多数小鬼真心诚意披沥所言，举出日本青年所欲之三大愿望：一、日本家屋；二、西洋服装；三、支那料理。此三大愿望为日本青年之大愿。近年以来，在日本之社会现状下，薪给阶级，入不敷出，欲望居住日本新式家屋，服御华贵西装，大吃支那料理，难如登天。此中三项，尤以支那料理为难吃，故彼等一至战地，莫不以一尝支那料理为快，且以一鸡子数鸡蛋之微，亦不惜降身为盗，抢了吃，劫了吃。

日本人最喜模仿人家，东施效颦，我见穿惯木屐之日本娇娘，忽然换上高跟皮鞋，摇摇摆摆，蹶臀频动，叹为观止。据闻日本人近年喜穿西装者与日俱增，大战以后，日本军阀一面自吹国力富厚，一面战战兢兢，大喊前途辽远，快快节约，因此西装店遂大倒其霉，竟以关门闻。日本人梦寐难忘之西装，已为战神所毁，皮鞋当然也用不着了，于是重开倒车，再从墙脚、屋角，找出木屐，滴搭、滴搭拖将起来。

日本小鬼来到中国战地，不幸的，交了死运，西装志愿未偿，只好待诸二十年后，假使错投猪胎，此恨绵绵，确亦可怜，至于那些还没有打死的小鬼，虽然抢到一点钱，要想等到生还日本以后，买套西装，一偿夙愿，谁也没有把握，不久以前，前任日本陆相杉山元以“忠烈”二字，写在扇子上面，送来中国战地，分发鬼兵，那些小鬼见了，居然以三大愿望未偿造意，谱出心声，写在“忠烈”二字的后面，可见日本武士道堕落而后，日本青年为了三大愿望未偿，叫他不穿西装，实行“忠烈”，似乎有点不愿了。

17　对鬼谈鬼

敌军残忍嗜杀，灭绝人性，在大王集各地作战时，杀我伤兵多人。据一日兵告我，彼曾亲见其战友多人肢解我军某部之伤兵，五月二十五日，我被囚时村，复亲见板垣部之骑兵杀我伤兵数十，且以枪刀划破其肚腹。有一伤兵为其绑于树上，连刺数十刀，树在庙后，我等数十难友目击此类惨状，无不坠泪，我曾切记彼等埋骨之所，并约略记明被难者之番号。

在徐州俘虏营里，鬼子卫兵残杀患病之俘虏，其事已略详前文，此次被难者尽埋九里山麓，在兵营背后，我已记清其方向地位。

此外，据各难友告我，一次在运河车站，有大批俘虏被害，被以机枪扫射于河畔者有百余人，在津浦南段之曹村（距洋州六十华里）兵民被掳共有一百七十余人，尽在点名时被用机枪扫死，鬼子事后曰：“机枪点呼”，此即残杀俘虏术语中所谓“拿机关枪点名”。

其余在徐州之难友三三两两被其零星杀害者，书不胜书。据一稍有人性之日本军医谈：自中日战事发生，在每一城市陷落后，中国良民均有牺牲，但死亡之多，死事之惨，实无过于徐州。时交夏令，敌兵入夜露宿废墟中，风雨凄凄，时闻鬼哭，彼意殆冤魂不散，因而作祟。

鬼子迷信甚深，彼等今日俱为惨剧之导演者，一临屠场，兽性大发，恣意残杀，不顾一切；过后，清夜自思，神明内咎，往往毛发悚然，既虑天谴，又畏鬼祟。我既窥破其弱点，遂盛倡有鬼论，以夺其魄。夏夜看守我室之卫兵，几每夜必央我说鬼，我即大谈因果，且指染疫而死之鬼兵，谓遭天谴，死于黄河决口者，谓为触怒河伯，而河伯忠贞刚烈，今日怒发，汝等不久必将葬身鱼腹，无言凯旋。如此云云，虽无多大效果，然以鬼话稍稍戢其残暴狂焰，亦可见彼时我之伤痛心情无法排遣，今日思之，犹有余痛。

徐州一战，白骨盈野，九里山下，终日阴风惨惨，仿佛鬼境。我入俘虏营时，时交仲夏，枝头白哥哥叫出："白哥、白哥"，"白哥、白哥" 厥音凄厉，若曰："麦枯、草枯"，"人少、鬼多"，其时麦萎，草枯，胡骑所至，数十里无人迹。我自被囚，哀思内敛，酸楚入骨，梦中读夏完淳《大哀赋》至"故老吞声，行人陨涕，殷王子麦秀之歌，周大夫黍离之泪，天地何心，河山无罪"一段，不禁纵声欲哭，因而惊醒卫兵，常遭呵责，早起频闻"麦枯、草枯"、"人少、鬼多"，每每含泪以纸团塞耳，值班鬼兵见之，以为我有耳病，辄加揶揄，与鬼为邻，啼笑皆非，我真不省前世作何孽也。

18 最后的几句话

拉杂写来，不觉写了几万字，而且还要灾梨祸枣，出版问世，我深深觉得，这篇东西，对于大众，并没有什么贡献。我本想写页自序，说明我个人脱险以后的一点感想，但因纸价很贵，能省则省，以此从略，现在我以“最后的几句话”写在后面，以代结论。

日本是一个工业国家，加之教育普遍，每个士兵都有一点工业常识，所以在战地有许多地方，虽经我军极度破坏，他们还在挣扎修复，以资军用。我在天津时，一个山东通译说，可惜我们有许多工作未能彻底破坏；到了他们手上，吃亏不小。比方破坏公路，我们如能集中一点彻底破坏，即使敌人有良好工兵，纵能修复，亦不能短期竣事。后来据寇军辎重兵云，彼等见有已经破坏之公路，成为河渠、水田，最无办法，他们对于破坏公路的看法，不怕我们破坏得多而且长，只怕我们来个彻底。

军中行李少带，营、连长用勤务兵，不要专拣小孩，我见到俘虏营里小孩很多，鬼子将其禁闭一处，资为宣传，指为这是中国的新军，用以鼓励他们的士气。

日本兵每人身边带有小册子一本，上面日语、华语都有，且列举中国著名之抗敌将领，称为“顽强”。如卫立煌、汤恩伯、顾祝同、孙连仲、张自忠、朱德、彭德怀、贺龙、李文田、邓锡侯、孙震、于学忠、卢汉、胡宗南、李默庵等百余将领均有，多数日本将、校对于大战前夕，领袖在庐山给予中国党、政、军高级干部之教训，读之舌结不下，认为中国抗日负责人物，如能恪遵领袖教训，前途远大，日本一时实无力征服中国。此外，日军衡量中国各战区之指挥官，用心亦深，最畏者，为李德邻及白健生二公。

日本人对于中国文人，相当恭维，不过有点尖刻，一个日本军部新闻班职员对我说：“你的写字好，你的说话好，你的工作少。”这样批评，入木三分。同时我反观日本文人，他们成群结队走上战场，军部鼓励，社会鼓励，朋友帮助，各尽其力，他们都给军阀麻醉，他们想借此出出风头。严格说起来，他们都没出息，但是我们呢，我们还在乱七八糟的瞎闯，城里的地图、壁报贴到二丈多高的墙头上去，墙上贴不下了，电杆木上也贴满了宣传品；而乡下依然是寂寞，空洞，少宣传。

中国现在遭遇了一个旷古所无的危急时期，举国所有的人力、物力、财力，一丝一毫，不能浪费，尤其是从事救亡工作的文人们，应该认识目前所需，不要尽蹲在物质享受较好的地方快活。此外，我们的读书人如果认为明末的顾炎武、陈子龙、徐孚远、夏完淳这班人值得佩服，就得对于建国必需的经世大业，农田、水利、垦植、军政，多多留心，这是一个最好的学术环境，不能放松，敌人批评我们，只会写文章、演讲，不能做事，这话有几分对的。文恬、武嬉，足以亡国。现在我国武人不"嬉"，都在前线拼命，假使文人也能不"恬"，一致努力，多找苦吃，少说废话，枪杆与笔杆，铢两悉称，配合得劲，岂惟抗战前途赖以有利，即文人本身之前途，亦光明多矣。侥幸脱险归来，我愿以此自勉，并告慰我的朋友们。［李进培校注］

（本书为一九三九年三月生活书店出版）

三联经典文库第二辑简目

《游击战教程》　明凡 / 著

《游击战术纲要》　陶剑青 / 编著

《汪精卫卖国的理论与实践》　钱俊瑞 / 著

《抗战以来》　韬奋 / 著

《陕行纪实》　楚云 / 著

《随军散记》　沙汀 / 著

《被日寇囚系半载记》　王研石 / 著

《倭营历险记》　房沧浪等 / 著

《活跃的新西北》　田影 / 编著

《保卫华北的游击战》　刘清扬　陈北鸥等 / 著

《徐州突围》　《徐州突围》编委会 / 编

《沦亡的平津》　长江　小方等 / 著

《淞沪火线上》　胡兰畦等 / 著

《瞻回东战场》　长江　罗平等 / 著

《东线的撤退》　胡兰畦等 / 著

《抗战中的西北》　徐盈 / 著

《鲁闽风云》　徐盈等 / 著

《西线生活》　西北战地服务团集体创作

《中国解放区见闻》　［美］福尔曼著 / 朱进译

《全面抗战论》　潘汉年 / 著

《日本的间谍》　范士白自述 / 尊闻译

《日本大陆政策的真面目》　国难资料编辑社 / 编

《民众动员论》　李公朴 / 著

《中国外交史》　钱亦石 / 编著

《太平洋军事地理》　蒋震华 / 著

《世界经济地理讲话》　思慕 / 著

《列强军力论》　［德］马克斯·威纳尔著 / 宾符　仲持　梅益等译

《近代国际关系史》　张铁生 / 著

《太平洋现势手册》　沈志远　石啸冲 / 编著

《近代世界政治史》　钱亦石 / 著

《从战争到和平——一九四五年的世界政治》　乔木 / 著

《战后日本问题》　思慕 / 著

《最近一年间的国际动态（1946.7–1947.6）》　《东北日报》社 / 编

《论政党》　翟放 / 著

《法与宪法》　韩幽桐 / 编著

《中华民国宪法刍议》　罗家衡 / 著

《民主·宪法·人权——作之民》　费孝通 / 著

《宪法论初步》　潘念之 / 著

《对反民主的抗争》　韬奋 / 著

《农村改进的理论与实际》　江恒源 / 著

《上海产业与上海职工》（上下）　朱邦兴　胡林阁　徐声 / 合编

《陶行知教育论文选辑》　陶行知著 / 方与严编

《中国通货膨胀论》　杨培新 / 著

《中国及其未完成的革命》　H·普拉特著 / 蒋天佐译

《中国的建设问题与人的训练》　卢作孚 / 著

《论中国特殊性及其他》　艾思奇 / 著

《中国经济问题讲话》　钱俊瑞　徐雪寒　王渔邨　姜君辰　骆耕漠 / 合著

《中国经济的道路》　许涤新 / 著

《中国财政之病态及其批判》　孙怀仁 / 著

《官僚资本论》　许涤新 / 著

《五四运动之史的评价》　陈端志 / 著

《中国通史简编》（上下）　中国历史研究会　范文澜 / 主编

《论文学的工农兵方向——读〈在延安文艺座谈会上的讲话〉》　雪苇 / 著

《中国近代史（上编　第一分册）》　武波 / 编著

《文学百题》　傅东华 / 编

《中国史学之进化》　周谷城 / 著

《论民族形式问题》　胡风 / 著

《论批评》　荃麟等 / 著

《中国史纲》（第一卷上下、第二卷上下）　翦伯赞 / 著

《近代中国思想学说史》（1–4）　侯外庐 / 著

《中国政治思想史》(上下)　　吕振羽 / 著

《中国哲学史纲要》　　向林冰 / 著

《中国政治史讲话》　　钱亦石 / 著

《中国社会经济史纲》　　王渔邨 / 著

《新财政学大纲》　　千家驹 / 著

《太平天国革命运动论文集——金田起义百周年纪念》

华北大学历史研究室 / 编

《理性与自由——文化思想批评论文集》　　胡绳 / 著

《战斗者的诗人》　　黄药眠 / 著

《国语文法》　　曹朴 / 著

《教育哲学》　　张栗原 / 著

《妇女问题讲话》　　杜君慧 / 著

《婚姻 · 子女 · 继承》　　沙千里 / 著

《性教育新论》　　布士克　雅各生合著 / 董秋斯译

《狱中杂感》　　杜重远 / 著

《七人之狱》　　沙千里 / 著

《爱迪生传》　　伍况甫 / 译

《歌德自传》(上下)　　歌德著 / 思慕译

《尼赫鲁自传》　　[印度] 尼赫鲁著 / 毕来译

《列宁传》　　[苏] 凯尔任采夫著 / 企程　朔望译

《罗斯福总统传》　　C. Mackenzie 著 / 张尚之译

《托尔斯泰传》(1–3)　　[英] 阿尔麦 · 莫德著 / 徐迟译

《革命文豪高尔基》　［美］亚历山大·康恩著 / 韬奋编译

《鲁迅纪念特辑》　新中国文艺社 / 编

《回忆鲁迅先生》　萧红 / 著

《人民文豪鲁迅》　平心 / 著

《亡友鲁迅印象记》　许寿裳 / 著

《鲁迅思想研究》　何干之 / 著

《鲁迅研究》　夏征农 / 编

《过来的时代：鲁迅论及其他》　雪峰 / 著

《电影戏剧表演术》　洪深 / 著

《日常心理漫谈》　［美］约瑟夫·查斯特罗著 / 曾宝施译

《心理常识漫话》　朱智贤　杨云美 / 著

《读书的方法与经验》　王任叔 / 著

《美国黑人生活纪实》　［美］加德维尔　斯坦倍克著 / 董秋斯译

《初访美国》　费孝通 / 著

《事业与成功》　［美］马尔腾著 / 汪原放译

《萍踪寄语（初集）》　韬奋 / 著

《一生的幸福前途——〈生活周刊〉信箱选集》　生活书店 / 编选

《深刻的印象》　生活周刊社 / 编

《海外的感受》　生活书店编译所 / 编

ISBN 978-7-108-04644-4

9 787108 046444 >

定价：23.00元